tout
ce qu'il voudra

naufragée
1RE PARTIE

6

SARA FAWKES

tout ce qu'il voudra

naufragée

1ʳᵉ PARTIE

6

traduit de l'anglais (États-Unis) par Maxime Eck

Red Velvet

1

Le front du petit homme assis en face de moi était couvert de sueur. Ses fins cheveux rabattus en avant pour dissimuler un début de calvitie collaient à son crâne en dépit de l'air frais que soufflait une bouche d'aération toute proche. Il tenait fermement son attaché-case sur ses genoux sans regarder un seul des hommes debout autour de la table, et ne cessait de jeter des coups d'œil furtifs vers la porte, comme s'il n'avait qu'une envie : décamper et fuir la tension qui montait lentement dans la pièce sombre.

J'étais cent pour cent sur la même longueur d'onde que lui.

– On n'a pas toute la journée, marmonna un homme brun à l'accent écossais, adossé au mur du fond.

Le blond qui se tenait à côté de lui le réduisit au silence en le fixant d'un regard sinistre. Les mains qui s'abattirent soudain sur mes épaules me firent tressaillir. Je serrai les poings sous la table, tandis qu'une voix joyeuse s'élevait dans mon dos.

– Bon ! Maintenant que nous sommes tous réunis, le spectacle peut commencer. Qui veut se lancer ?

Personne ne semblait partager cet enthousiasme. Le type face à moi avait accueilli chaque mot avec un sursaut. Il avait l'air d'avoir envie de s'enfoncer dans le sol et de disparaître.

Je déglutis nerveusement tandis que le silence retombait.

Un costaud, adossé au mur, finit par s'avancer. Aussitôt, en un geste inconscient de soumission, ses acolytes se redressèrent.

– L'heure n'est pas à vos petits jeux, Loki, grommela-t-il avec un fort accent russe qui donnait du poids à ses paroles.

– Et c'est quand la bonne heure, Vassili?

La désinvolture de la réponse fit grincer quelques dents. Vassili poussa un grognement avant de se tourner vers le petit homme craintif.

– Formulez votre requête, docteur Marchand.

L'interpellé frémit tout en fixant le Russe d'un air ahuri. Les paumes se crispèrent sur mes épaules, attirant mon attention.

– À vous de jouer.

Pardon? Je pivotai à demi vers celui qui se tenait derrière moi.

– À quoi? demandai-je.

Plusieurs paires d'yeux me fixèrent, et je me raidis.

– Traduisez, ma chère. Le Dr Marchand est français, précisa le trafiquant d'armes dans mon dos.

Je le gratifiai d'un regard peu amène. Étant née au Canada, je parlais en effet couramment le français, mais je n'appréciais pas qu'on me donne des ordres, et, en d'autres circonstances, je ne me serais pas gênée pour répondre vertement à Lucas Hamilton. Il m'adressa un sourire placide, un sourcil arqué. Puis son regard balaya la pièce avant de revenir sur moi – comme si j'avais besoin qu'on me rappelle la situation!

Je ne savais même pas où je me trouvais ni pour quelle raison. C'était la première fois qu'on m'adressait la parole depuis mon arrivée. On m'avait offert une chaise, cependant que les mâles présents s'étudiaient sans aménité, tâchant visiblement de jauger lequel avait la plus grosse… passons.

Me retournant vers le Français, je traduisis d'une voix plate, la bouche pincée.

Seule la douleur de mes ongles plantés dans ma paume me permettait de garder mon calme. Le Dr Marchand me dévisagea avec une sorte de surprise, s'humecta les lèvres puis les bougea sans rien dire pendant un instant, comme s'il rassemblait son courage.

– J'ai besoin d'aide… murmura-t-il ensuite. Pour faire sortir en douce des médicaments.

– Ils vont exiger plus de détails, docteur, répliquai-je. Où comptez-vous expédier la marchandise?

Je m'efforçais d'ignorer les yeux posés sur moi et les mains appuyées sur mes épaules, dont le propriétaire était pour l'instant mon ennemi, à l'instar des autres hommes présents dans la pièce.

– En Afrique. Pour mon hôpital.

Je fronçai les sourcils.

Ce médecin avait plutôt l'air d'être quelqu'un d'honnête. Que fichait-il donc ici? Tout comme moi, il semblait se retrouver ici parce qu'il n'avait pas eu le choix, songeai-je avec amertume.

– Il veut faire passer des médicaments en Afrique, annonçai-je en anglais.

– Lesquels?

– Des traitements contre le sida, répondis-je après avoir obtenu le renseignement auprès d'un Marchand plutôt réticent à s'expliquer.

– L'Afrique risque de poser problème, murmura Lucas. Graisser les bonnes pattes peut revenir très cher.

Je traduisis, dans un sens puis dans l'autre :

– Si vous réussissez à les faire parvenir aux Caraïbes, il s'occupera du reste du trajet.

Mon estomac se tordait au fur et à mesure que je m'écoutais parler. Au bord de l'affolement, je m'efforçai de respirer lentement. Relevant la tête, je croisai quelques regards attentifs.

Le blond appuyé contre le mur siffla.

– Ces trucs coûtent une blinde, commenta-t-il avec de rudes intonations australiennes. Ils valent leur pesant d'or au marché noir.

Quand j'eus traduit, le Français explosa.

– Il tient à signaler que les médicaments sont destinés uniquement à son village et ses environs, dis-je, pendant que le médecin gesticulait dans tous les sens. Il n'a pas l'intention de les revendre pour en tirer un profit quelconque.

– Dommage! s'esclaffa l'Australien, dont le rire sonna affreusement. Il se ferait des milliers de dollars. Surtout là-bas.

Le Dr Marchand parut saisir l'essentiel de cette remarque car il s'empourpra sous l'effet de la colère. Toutefois, il ne pipa mot, se bornant à me lancer un regard accusateur – comme si j'étais à l'origine de l'idée – que je lui rendis. Je lui aurais volontiers confié que j'étais, comme lui sinon plus, une victime, mais je doutais qu'il me croie.

Je n'ai pas postulé pour ce boulot, méditai-je en silence en essayant de libérer mes épaules des mains qui les emprisonnaient. *Prenez-vous-en au beau parleur perfide qui se tient derrière moi.* Le grand Russe qui semblait commander s'adressa justement à lui:

– Pourriez-vous vous en charger, Loki?

– Pas de souci.

Lucas vint se poster à côté de moi mais il ne me lâcha pas pour autant. Observant son visage balafré, je le vis examiner les hommes dans la pièce.

– Cependant, s'empressa-t-il d'ajouter, je pense qu'il y a autre chose. Je me trompe?

– Non, mon pote, tu as raison, répondit l'Australien en avançant d'un pas. On aimerait que tu embarques un peu de notre cargaison dans le lot puisque, de toute façon, tu iras là-bas.

Le docteur examina le blond avant de se tourner vers moi.

– Qu'est-ce qu'ils disent? me demanda-t-il en français.

D'un doigt, je lui fis signe de se taire et d'attendre. La discussion se poursuivit.

– Et qu'est-ce que vous voulez expédier? s'enquit Loki.

– La même came que d'habitude, intervint l'Écossais avec un sourire. Autant profiter de la balade pour faire d'une pierre deux coups.

Lucas dévisagea le blond.

– Vous réalisez que je n'irai pas plus loin que les Caraïbes?

– Oui. On a juste besoin que la marchandise quitte le pays. Ça facilitera la distribution par la suite.

Lucas opina, comme si cette réponse expliquait tout.

– Il me faudra un inventaire détaillé.

L'Australien claqua des doigts et une feuille de papier glissa sur la table. Le front plissé, le Dr Marchand avait suivi l'échange. Après avoir parcouru la liste, Loki sifflota.

– Impressionnant, commenta-t-il. Et précieux.

– Que se passe-t-il? souffla le médecin en se penchant vers moi. Qu'est-ce qu'ils racontent?

Je le regardai, hésitante. Il ne pouvait quand même pas ignorer sur qui il était tombé!

– Comment avez-vous fait la connaissance de ces types?

– Je n'ai pas réussi à obtenir assez de médicaments par le biais des canaux légaux, alors j'ai contacté l'un de mes donateurs. Il a organisé un rendez-vous, mais je n'avais encore jamais vu ces hommes. De quoi parlent-ils?

Il abattit sa main sur la table, attirant ainsi l'attention sur lui. Pas très malin de sa part.

– D'armes, admis-je, le cœur au bord des lèvres. De fusils, sans doute. Ils seront ajoutés à votre cargaison.

– Non! s'exclama Marchand en frappant le plateau des deux poings cette fois avant de se lever brusquement. Dites-leur que c'est hors de question! Il s'agit d'une opération strictement médicale. Je ne permettrai pas qu'ils…

Il était si bouleversé qu'il agita son attaché-case dans tous les sens, comme un gourdin, provoquant aussitôt l'apparition d'armes qui se pointèrent sur lui. Il s'interrompit net, les yeux écarquillés.

– Un instant! m'écriai-je.

Je tentai de me lever, mais je fus vigoureusement repoussée dans ma chaise d'une pression sur l'épaule.

– S'il vous plaît, j'ai commis une erreur d'interprétation, mentis-je. Je vous en prie, ajoutai-je à l'intention du Dr Marchand, pensez à vos patients. Si vous mourez maintenant, ils ne recevront jamais cette aide.

– Si je laisse faire, riposta-t-il d'une voix aiguë remplie de crainte et sans cesser de promener son regard sur les pistolets, je serai responsable des blessures de ceux qui devront venir dans ma clinique parce qu'ils auront été victimes de ces armes.

Ces paroles me firent l'effet d'un coup de poing dans l'estomac.

– Monsieur Marchand, plaidai-je, asseyez-vous, je vous en supplie. Que vous le vouliez ou non, ils n'en feront qu'à leur tête. Nous ne pouvons rien y faire.

Les yeux du Français allèrent de moi aux hommes postés tout autour puis, la tête entre les mains, il se rassit lentement sur sa chaise. Son expression d'abattement faisait peine à voir. Il serra de nouveau son attaché-case contre lui. Au regard qu'il m'adressa, je compris qu'il m'avait définitivement cataloguée dans la catégorie des méchants.

Impression que je partageais, au demeurant.

– Qu'est-ce qu'il baragouine? me demanda l'Australien d'une voix rude.

– Euh… il n'était pas au courant de votre cargaison.

– Évidemment, ma poule, ricana le blond, sinon il n'aurait jamais accepté d'allonger le fric. En tout cas, il a intérêt à se calmer.

– Il ne recommencera pas, je vous le promets.

Croisant les doigts pour qu'il se taise, je me tournai vers le petit homme dont le regard me cloua sur mon siège. Réagissant à un ordre silencieux, l'Écossais avança et arracha la mallette des mains du médecin pour la poser sur la table. Il la déverrouilla et l'ouvrit. Je découvris alors plus d'argent que je n'en avais jamais vu, au point d'en avoir le souffle coupé.

– Voilà qui devrait couvrir les premiers frais, reprit l'Australien. Mais je ne refuserais pas de… négocier.

Son ton satisfait me fit tourner la tête. Je constatai qu'il me regardait d'un air vicieux. Il s'attarda sur ma poitrine, sourit puis explosa de rire quand je rajustai mon haut.

– Ta petite traductrice m'amuse, enchaîna-t-il à l'adresse de Lucas. Prête-la-moi pendant vingt-quatre heures et je te refile dix pour cent des profits.

Mon cœur cessa de battre, des aiguilles glacées me transpercèrent de toutes parts. J'enfonçai si violemment mes ongles dans ma chair que l'un d'eux se brisa. La douleur me fit tressaillir et la main sur mon épaule raffermit sa prise.

– Dix pour cent? Quelle générosité!

Lucas pensait-il vraiment ce qu'il venait de dire? Sans m'accorder aucune attention, il fixait le blond qui continuait de me regarder. Il se pencha même vers moi, ses yeux noisette cherchant à croiser les miens. D'aussi près, et malgré le peu de lumière, je remarquai que les bagarres et l'âge avaient laissé leurs traces sur son visage. L'arrête de son nez était brisée, les fines lignes blanches de vieilles cicatrices striaient son menton et son front, et l'une de ses oreilles était abîmée, comme chez les boxeurs. Il aurait pu cependant passer pour un bel homme – dans le genre baroudeur – si un éclat réellement malveillant n'avait pas brillé dans ses yeux, abîmant plus encore un visage déjà marqué. Je m'empressai de baisser la tête, ce qui déclencha chez lui un grognement appréciateur.

– Et la peur lui va bien, commenta-t-il.

Dans mon dos, Lucas bougea légèrement et fit claquer sa langue.

– Et moi qui te croyais fidèle!

– Ma femme reste à sa place et ne se permet pas de contrarier mes envies. Mes infidélités ne la regardent pas.

– Ah oui? Donc tu n'aurais rien contre un échange?

L'Australien cligna des paupières; son sourire narquois s'évanouit. S'éloignant de moi, il se concentra sur Lucas. Un éclair de jalousie traversa son visage.

– Ton épouse contre ma petite traductrice, précisa Lucas.

Le visage de l'autre se marbra sous l'effet de la fureur. Lucas eut un sourire satisfait.

– Qu'y a-t-il? reprit-il. Tu redoutes la réaction de ta femme une fois qu'elle aura connu un vrai mec?

– Espèce de fils de…

Le blond saisit l'arme qu'il portait à la ceinture, mais le Russe s'interposa.

– Ça suffit! ordonna-t-il.

Vassili croisa ses bras musclés sur son large torse puis se pencha vers l'Australien jusqu'à ce que leurs nez se touchent presque.

– On est bien d'accord, Niall? murmura-t-il.

Le Niall en question foudroya Lucas du regard avant de s'attarder sur moi. La main sur mon épaule se resserra très légèrement, seul signe de la tension que cette confrontation provoquait chez Lucas.

– Oui, finit par céder le blond d'une voix amère.

Sans ajouter un mot, il fit un geste à ses hommes. L'Écossais força le Dr Marchand à se lever et l'entraîna hors de la pièce à la suite des autres.

Je m'affalai sur le dossier de ma chaise, massant ma nuque douloureuse. Ce n'est qu'au moment où Lucas retira sa main et bougea que je me rendis compte que je m'étais appuyée contre lui. En fait, sa présence m'avait vraiment permis de garder mon calme. Déglutissant avec difficulté, j'agrippai mes genoux. J'étais soulagée que l'aîné des Hamilton se soit écarté même si, paradoxalement, sa force me manquait.

– Bon, dit-il, ça ne s'est pas si mal passé.

Vassili l'ignora, trop occupé à me dévisager. Si son regard de pierre n'était pas aussi effrayant que celui, pervers, de Niall, il restait toutefois perturbant.

– Où est Anya? demanda-t-il au bout d'un long moment.

Le souvenir bouleversant d'une belle blonde agonisant me revint en mémoire. Le sourire de Lucas se fana.

– J'ai embauché une nouvelle traductrice, se contenta-t-il de répondre.

Vassili ne réagit pas tout de suite, mais il finit par hocher la tête.

– Dommage, chuchota-t-il sans changer d'expression. Je l'aimais bien. Vous pouvez partir, ajouta-t-il avec un geste en direction de la porte. Je vous recontacterai quand nous serons prêts.

Lucas tira ma chaise en arrière. Je me redressai et fis un pas en avant quand je sentis sa main se plaquer au bas de mon dos. Il réagit en m'attirant à lui alors qu'une musique aux basses puissantes nous submergeait. Au sommet de l'escalier, un type qui faisait office de videur décrocha le cordon de velours qui donnait l'accès aux marches, et nous nous retrouvâmes dans un tourbillon de corps et de bruit.

C'était la première fois de mon existence que je me retrouvai dans un club de strip-tease. De chaque côté de la salle, sur deux estrades, des femmes nues étaient agrippées à de hautes barres. D'autres strip-poles se dressaient ici et là, mais l'action se déroulait surtout dans la salle. Des femmes aux seins nus divertissaient des hommes assis dans des canapés molletonnés. Nous gagnâmes lentement le fond de la salle, Lucas veillant à marcher derrière moi. Sur ma droite, deux entraîneuses emmenèrent des hommes d'affaires d'un certain âge derrière un rideau. Elles ne souriaient pas, ce qui ne semblait pas gêner leurs clients, trop concentrés sur leurs autres attraits pour s'en préoccuper. Elles étaient très belles, mais aucune d'elles ne semblait heureuse d'être là et elles ne me prêtèrent aucune attention. Ce ne fut qu'une fois dehors que je me détendis.

Le chauffeur de Lucas nous retrouva à la porte de derrière. Après avoir passé autant de temps dans la pénombre, l'éclat du soleil m'éblouit. Je me protégeai les yeux d'une main, tandis que Lucas me poussait vers la voiture. Je montai la première dans la limousine et me réfugiai au fond de la banquette. Lucas s'installa à sa place habituelle, près de la portière. L'ignorant délibérément, je m'appliquai à regarder par la fenêtre.

– Vous vous êtes bien débrouillée, finit-il par dire.

– Comme si j'avais eu le choix, répliquai-je, acerbe.

Nous quittions le quartier. Les bâtiments autour de nous cachaient tous points de repère susceptibles de me renseigner sur l'endroit où nous étions. Durant le peu de temps que j'avais vécu à New York, je n'avais pas pris la peine d'explorer la ville, et les noms des rues ne me disaient rien.

– On a toujours le choix, répondit Lucas d'une voix égale. Simplement, on ne fait parfois pas le bon.

Je me tournai pour regarder enfin mon ravisseur mais il observait la ville, pas moi. Son visage avait une gravité que je ne lui avais jamais vue avant. Il était plutôt du genre à arborer un sourire narquois, à lâcher une remarque méprisante ou un commentaire sarcastique, pas à se plonger dans une introspection silencieuse. Ce changement me déstabilisa et me rappela un autre homme qui lui ressemblait beaucoup.

Le souvenir de Jeremiah me serra le cœur. Je baissai les yeux sur mes mains. *Me cherche-t-il?* À peine quatre heures auparavant, j'étais blottie au lit avec celui que j'aimais, et tout allait pour le mieux dans le meilleur des mondes.

Et maintenant, je me trouvais ici, avec Lucas.

– Pourquoi m'avez-vous enlevée? demandai-je soudain, cherchant à repousser le sentiment de solitude qui m'envahissait.

L'ombre d'un sourire dansa sur les lèvres de Lucas.

– Si je vous disais que c'est parce que j'apprécie votre compagnie, me croiriez-vous?

Je reniflai, il haussa les épaules et conclut:

– C'est bien ce que je pensais.

– Si vous aviez vraiment besoin d'une interprète, il suffisait de demander.

À une autre, si possible, songeai-je par-devers moi en croisant les bras.

– Et qu'auriez-vous répondu? dit-il en me regardant.

– J'aurais refusé.

Cette fois, ce fut un vrai sourire qui étira sa bouche. Ces prunelles bleu-vert dans ce visage sévère me frappèrent. *Il ressemble tellement à son frère!* Cependant, au-delà de l'apparence physique, ces deux-là étaient on ne peut plus différents. La cicatrice blanche qui courait sur le nez et la joue de Lucas n'en était qu'un signe distinctif. Il était mince alors que son cadet, ex-soldat, était large d'épaules. Ses mains, remarquai-je en passant, lisses et manucurées, n'avaient rien en commun avec celles de Jeremiah, qui étaient rugueuses comme celles d'un ouvrier. À mon avis, elles n'avaient jamais connu une journée de dur labeur.

– Que voulez-vous, Lucas? demandai-je, lasse.

– Et *vous*, mademoiselle Delacourt? riposta-t-il en me fixant.

– Rentrer chez moi.

– C'est mon cas également.

Une remarque moqueuse me brûlait la langue, mais je la ravalai devant son expression contrite.

Je reportai de nouveau mon attention sur le paysage.

– Vous auriez pu au moins m'avertir de ce qui allait se passer lors de ce rendez-vous.

Comme il ne répondit pas, le trajet se poursuivit en silence. Enfin, nous bifurquâmes dans une allée. Nous franchîmes une première grille, puis une seconde, et nous garâmes près d'un ascenseur. L'appréhension m'envahit.

– Nous y sommes! s'exclama Lucas, qui avait retrouvé son ton désinvolte habituel.

Il ouvrit la portière et sortit de la voiture. Au bout d'un moment, sa tête réapparut.

– Vous venez?

Je fus saisie d'une irrépressible envie de rester sur la banquette – après tout, notre dernière étape avait été une mauvaise surprise – mais, après réflexion, je glissai vers la portière. Ignorant la main qui m'était offerte, je sortis dans l'air frais.

Malheureusement, au lieu de me laisser un peu respirer, Lucas se colla à moi.

Comme je ne pouvais reculer, je détournai la tête, irritée par sa proximité tandis qu'il promenait son index sur ma joue. La paume en coupe autour de mon menton, il m'obligea à le regarder en face.

– De la colère, murmura-t-il, pas de la peur. Ça me va.

Un sourire satisfait lui fendit les lèvres. Il me libéra et je poussai un soupir de soulagement. Le chauffeur referma la portière et s'éloigna au volant du véhicule. De mauvaise grâce, je suivis mon kidnappeur jusqu'à l'ascenseur. Il introduisit une carte magnétique dans une fente, tapa un code sur un clavier et j'entendis le mécanisme se mettre en route.

– Où sommes-nous? demandai-je quand les portes s'ouvrirent.

J'entrai dans la cabine de l'ascenseur et me plaquai au mur du fond. Dieu soit loué, Lucas, garda ses distances.

– Encore un rendez-vous où je risque d'être descendue? ajoutai-je.

– Pas tout à fait.

L'ascenseur grimpa, encore et encore, si bien que je m'interrogeai sur la hauteur de l'immeuble. Découvrant que le panneau de commande de la cabine ne comportait qu'un bouton étiqueté « Penthouse », je compris qu'elle ne desservait que le dernier étage. Elle ralentit enfin et, avec un bruit de carillon, les portes s'ouvrirent sur un salon ultramoderne et très clair.

Hum. Pas franchement ce à quoi je m'attendais.
– Après vous.

Je fis un pas en avant et inspectai l'immense pièce.

Des lustres accrochés à des fils quasiment invisibles descendaient du haut plafond juste à hauteur de tête. Deux puits de lumière laissaient entrer le soleil et les baies vitrées donnaient sur les gratte-ciel de New York. Les meubles, où le cuir dominait, étaient couleur crème tirant sur le blanc, ponctuée çà et là de touches de couleur. Les lieux n'avaient pas grand-chose d'une garçonnière.

L'ascenseur se referma derrière moi, et j'entendis le cliquetis du clavier de commande. Un voyant rouge indiquait que j'étais coincée ici pour le moment. Ravalant ma nervosité, j'emboîtai lentement le pas à Lucas qui disparut au détour d'un couloir. Avançant à mon tour, je découvris une cuisine presque aussi vaste que la salle de séjour. Un bruit de verre retentit, puis Lucas lança :

– Du vin ?

– Euh... de l'eau, s'il vous plaît.

Il se comportait non comme un ravisseur mais comme un hôte, ce qui me déroutait.

– Tout de suite.

Pendant qu'il s'affairait, j'allai examiner le salon. Au-delà de la cuisine, quelques marches conduisaient à un second niveau. J'avais vécu ces dernières semaines dans l'immense demeure des Hamptons. Si ce penthouse n'était ni aussi grand ni aussi luxueux, il s'en dégageait une atmosphère d'opulence identique.

– Cet endroit vous appartient? lançai-je.

– Entre autres, oui.

Je ne savais pas trop quelle image je m'étais faite du repaire d'un trafiquant d'armes, mais ce n'était certainement pas celle-ci. À ma connaissance, Lucas était quelqu'un d'ironique et exubérant. Je m'étais attendu à ce que sa maison soit aussi ostentatoire que lui. Mais ce loft semblait plus relever de l'esprit Conran Shop que de celui du Cirque du Soleil.

– Qu'est-ce que je fais ici?

Les mots m'avaient échappé, leur simplicité exprimant toute ma frustration. Lucas me tendit une bouteille d'eau.

– Parce que vous et moi avons quelque chose à prouver à mon frère.

– Est-ce que je peux partir?

– Non.

– S'il vous plaît…

– Voulez-vous faire le tour du propriétaire? dit-il avec un soupir.

– Non, je veux juste rentrer chez moi.

– Dans votre trou à rat du New Jersey ou chez mon frère qui vous a rejetée?

Je n'aurais pas dû lui confier ça. Je m'étais malheureusement laissée aller, le mal était fait. Quoi qu'il en soit, ce souvenir me blessa.

– Il ne m'a pas rejetée, mentis-je sans beaucoup de conviction.

Me prenant par le coude, Lucas me guida jusqu'au canapé.

– Asseyez-vous, m'ordonna-t-il en s'installant dans le fauteuil en face de moi. Qu'il vous ait larguée ou non n'a aucune importance. Il faut qu'il apprenne à vous apprécier comme vous le méritez. Quant à moi, j'ai besoin de vos talents de traductrice. Si nous sommes en mesure de nous rendre service mutuellement, je ne vois pas où est le problème.

Je le dévisageai, perplexe.

– Dans quel monde vivez-vous pour penser que vous pouvez enlever les gens et les forcer à vous aider?

– Dans le mien.

Je bus une gorgée d'eau en regrettant pour le coup qu'il ne s'agisse pas d'une boisson plus forte.

– Pour quelqu'un qui prétend vouloir rentrer chez lui, vous n'en prenez décidément pas le chemin, commentai-je avec aigreur.

Il ne réagit pas. Lorsque je me tournai vers lui, je me rendis compte qu'il m'observait intensément. Je me mis à regarder ailleurs pour qu'il ne voie pas à quel point je voulais fuir. Pas seulement cet endroit, mais ma vie.

– La journée a été longue, dit-il au bout de quelques minutes avant de se lever. La première chambre sur la droite à l'étage a été préparée pour vous. Si vous avez besoin de quoi que ce soit, faites-le moi savoir.

Je me dépêchai de me mettre debout, peu désireuse de m'attarder sur sa dernière phrase étrangement ambiguë. Il m'interpella alors que j'atteignais l'escalier. Je me retournai vers lui, attendant un mot de sa part, mais il m'observa longuement avant de lâcher :

– Vous savez bien que je ne vous aurais jamais laissée à Niall.

– Je sais, acquiesçai-je dans un murmure.

J'avais hâte de me retrouver seule. Tout le temps qu'avait duré l'entrevue avec les marchands d'armes, je savais que Lucas était là pour me protéger. Cela pouvait paraître absurde, mais j'avais confiance en lui. Un tout petit peu, du moins.

Lasse de cette conversation, je grimpai les marches à toute vitesse et me réfugiai dans ma chambre. Le grand lit était fait et les volets étaient fermés. Sans me donner la peine de découvrir mon nouvel environnement, et me glissai aussitôt sous les couvertures.

Ce cocon douillet était loin d'être le bouclier idéal pour me protéger du monde terrifiant dans lequel j'avais été propulsée, mais je devrais m'en contenter pour le moment.

J'avais dû m'assoupir car lorsque je repoussai les draps, la nuit était tombée. Le soleil d'hiver se couchait tôt, je n'avais pas l'impression d'avoir dormi très longtemps, mais aucune pendule dans la pièce ne me permettait de savoir qu'elle heure il était. Je m'aperçus qu'il y avait une salle de bains attenante à la chambre, j'en fus soulagée car je n'avais aucune envie de quitter mon refuge.

Je crus percevoir des voix provenant de l'étage du dessous mais n'y prêtai aucune attention. J'observai le comptoir en granit. Lucas avait effectivement tout prévu : il y avait des brosses à cheveux, un fer à friser ainsi qu'une armoire à pharmacie bien remplie. Alors que je m'emparai d'une brosse, j'y découvris un fin cheveu blond enroulé autour du manche. Je m'empressai de la reposer, comprenant à qui elle avait appartenu, ainsi que la chambre que j'occupais à présent.

Une rapide inspection du dressing confirma mes soupçons. Robes du soir, jupes, corsages, pantalons étaient dans une taille beaucoup plus petite que la mienne. Tout était soigneusement suspendu à des cintres et rangé par couleur et type de vêtement. Je reconnus même la tenue qu'avait portée Anya Petrovski lors de notre première rencontre. Malgré la faible lumière, la somptueuse robe ne pouvait qu'attirer l'œil.

Bizarre, bizarre…

On frappa à la porte. Je me retournai vivement, comme si j'avais été surprise en train de farfouiller dans les affaires d'autrui. Je refermai le placard tout en me fustigeant pour ma bêtise.

Mais après tout, si Lucas m'avait installée ici, il devait s'attendre à ce que je regarde un peu à droite et à gauche. Il n'empêche, faire l'inventaire des vêtements d'une morte me semblait incorrect. J'avais beau ne pas avoir apprécié Anya au cours des rares fois où je l'avais croisée, je ne pouvais pas oublier l'image de son visage à la peau pâle strié de larmes et baignant dans une flaque de sang.

– Toc, toc? lança Lucas, interrompant mes réflexions.

Après une brève hésitation, je lui ouvris. Debout sur le seuil, il tenait une bouteille à moitié vide et deux verres.

– Puis-je entrer?

Je faillis lui répondre non. Je m'écartai cependant, tout en songeant que c'était une mauvaise idée.

– Vous êtes là pour me rendre ma liberté? demandai-je en croisant les bras.

– Du tout. J'avais juste envie de parler.

Un instant, il parut distrait par le spectacle de la pièce, comme s'il la découvrait. Ses traits étaient cachés par la pénombre, je ne pus deviner ce qu'il éprouvait. Mais lorsqu'il s'empara d'une photographie d'Anya que je n'avais pas remarquée jusqu'alors et qu'il la contempla longuement, la compassion me serra le cœur. Je me rappelai qu'il avait tenté de sauver la jeune Russe, qui était morte dans ses bras. Je tendis la main vers lui quand il reposa le portrait, face cachée, mais la retirai dès qu'il pivota dans ma direction.

– Vous avez soif? s'enquit-il en brandissant les verres.

Je fis signe que non, et il haussa les épaules.

– Ça en fera plus pour moi.

– Vous êtes saoul, dis-je en m'éloignant.

– Pas saoul, juste un peu éméché, rectifia-t-il, l'index levé, avant de tituber et de s'appuyer à la commode. Bon, d'accord, juste un peu ivre.

Je fixai d'un air désapprobateur la bouteille déjà bien entamée.

– Ça vous arrive souvent?

Il opina d'un signe de tête, sembla réfléchir un instant, et secoua la tête de nouveau. Je poussai un soupir. Les ultimes vestiges de mon empathie s'évaporaient.

– Ça ne joue pas en votre faveur, lâchai-je, alors que, bien malgré moi, un petit sourire traître étirait mes lèvres.

– J'aimerais comprendre ce que mon frère vous trouve, rétorqua-t-il.

Mon sourire se dissipa, de même que ma patience.

– Sortez d'ici, décrétai-je en traversant la chambre pour ouvrir la porte. Je vous…

Au moment où je me retournai, je constatai qu'il était juste derrière moi, à seulement quelques centimètres de distance. J'en perdis mes mots. Je ne l'avais même pas entendu se déplacer. En reculant, je me retrouvai coincée entre la porte de la pièce et celle de la salle de bains. Lucas se rapprocha, beaucoup trop à mon goût, ce qui me força à le repousser d'une main pour l'empêcher de se coller à moi.

Être si près d'un homme aussi séduisant avait quelque chose d'intriguant. Même si je ne l'appréciais pas spécialement, je ne pouvais nier qu'il était attirant et provoquait en moi de drôles de sensations. La cicatrice qui balafrait sa joue mettait encore plus en valeur ses traits. Le parfum de grand cru qui émanait de lui faisait plus l'effet d'une eau de Cologne et n'avait pas l'odeur écœurante que j'avais redoutée. Ma main sentait ses muscles qui jouaient sous la peau tiède et la soie.

Du bout des doigts, il repoussa une mèche de mes cheveux, et sa caresse le long de mon front me fit frissonner. Je me collai au mur, mais il suivit le mouvement. Seule ma paume nous séparait.

– Vous êtes très belle, murmura-t-il en rapprochant son visage de ma tempe, son haleine effleurant ma joue. Futée aussi. Audacieuse. Est-ce donc cela que mon frère a vu en vous?

Loin de m'offenser, ses paroles me troublèrent. Refusant de croiser son regard, je fixai son épaule. Son autre main remonta et frôla ma clavicule. Ce contact me brûla, laissant un sillage chauffé à blanc sur ma peau. Mes faibles défenses commencèrent à céder, lui permettant de se rapprocher encore de moi.

Peut-être que s'il avait tenté de m'embrasser ou de me toucher d'une façon qui me semblait déplacée, j'aurais trouvé la volonté de le repousser. Mais il me paraissait se satisfaire d'être tout près, ce qui, plus que tout sans doute, me désarçonna et m'empêcha de réagir. Lorsque le dos de sa main glissa le long de ma nuque et dans le creux de mon épaule, je fus prise de tremblements et mon ventre se contracta.

Souviens-toi d'Anya, me souffla une part de moi. Mais, en cet instant, j'avais tant de mal à rassembler mes idées que j'en aurais presque oublié mon propre nom. Alors celui de l'ancienne occupante de la chambre…

J'appuyai ma tête contre le mur tandis que l'autre main de Lucas voletait, légère comme une plume, sur ma seconde clavicule. Je battis des paupières et fermai les yeux, rendant les armes devant la grâce si délicate d'un épiderme contre un autre.

Je ne m'étais rendu compte de mon besoin désespéré de chaleur humaine qu'après avoir rencontré Jeremiah. J'avais perdu ma famille, j'étais seule au monde. Pendant trois ans, je m'étais consacrée à sauvegarder l'héritage de mes parents – en vain, puisque leur maison avait fini par être récupérée par leurs créditeurs. La suite s'était réduite à lutter pour survivre et à éviter de me retrouver à la rue. Jeremiah Hamilton m'avait arrachée à cette dure réalité. Sous ses caresses, j'étais devenue vivante comme jamais, je m'étais épanouie. Il m'avait repoussée, mais mon désir incandescent et la nécessité impérative de sensualité continuaient de m'animer avec force, comme un courant électrique que j'étais incapable de canaliser.

Lucas posa son front contre le mien. J'ouvris les yeux, découvris ses lèvres pleines tout près des miennes.

En voyant ses yeux, bordés de cils noirs qui sublimaient la couleur bleu-vert de ses prunelles, je me sentis fondre.

– Si belle, répéta-t-il à mi-voix.

Il se pencha et pressa sa bouche tiède contre la mienne. Comme il n'exigeait pas que je réponde à son baiser, je ne réagis pas tout de suite. Il se contenta sucer ma lèvre inférieure, à l'agacer de ses dents. Crispée sous l'effet de l'indécision, je ne l'embrassai pas. Ce qui ne sembla pas le déranger cependant. Mais, lorsque sa langue tenta de s'immiscer, mes lèvres s'écartèrent d'elles-mêmes instinctivement. Ma main sur son torse ne servit plus de bouclier, au contraire, j'agrippai la soie de sa chemise et l'attirai violemment à moi.

Si j'avais cru un instant que Lucas n'était que douceur dans la séduction, son avidité me détrompa. Me plaquant au mur, sa bouche incendia la mienne. Un petit soupir m'échappa. Tandis que notre baiser se faisait plus profond, il glissa sa paume sur mes reins et me colla à lui. Sa langue me provoquait, m'encourageait à plus d'audace. Et c'était efficace. Je nouai mes bras autour de sa nuque, arquai mon corps en direction du sien, ouvris pleinement la bouche et l'accueillis sans plus de réticence. J'agrippai ses beaux cheveux bruns, gémis dans le baiser, mes doigts dansant sur ses oreilles et sa barbe naissante.

– Ce que vous êtes bandante! chuchota-t-il.

Ses mains se faufilèrent sous la ceinture de mon pantalon pour agripper mes hanches. Excitée par ce contact, j'eus soudain envie de plus, soudain envie de tout, soudain…

Jeremiah.

La culpabilité me poignarda le cœur et eut l'effet d'un seau d'eau glacée qu'on m'aurait renversé sur la tête. J'interrompis notre étreinte en poussant un cri étouffé. Mais Lucas, ne s'apercevant pas de mon brusque changement d'humeur, se mit à cribler de petits baisers les parties sensibles de ma gorge. Aussitôt, mon ventre s'enflamma. Alors que mon esprit me suppliait de mettre un terme à ce qui était en train de se passer, mon corps paraissait s'en réjouir et en réclamer davantage. Je tournai la tête. L'image d'Anya s'imposa à moi.

– Est-ce que vous faisiez ça avec Anya?

Lucas réagit aussitôt. Cessant de m'embrasser, il recula en titubant et me toisa. Le courant d'air frais qui se glissa entre nous me fit frémir. Tout à coup, les larmes menacèrent de me submerger. L'émotion tordit les traits de l'aîné des Hamilton.

– Oui, marmonna-t-il en me fixant sans me voir. C'est exactement ce que je faisais avec elle.

S'écartant d'un pas mal assuré, il ouvrit violemment la porte et disparut dans le couloir. Je claquai le battant derrière lui, le verrouillai et retournai m'allonger. Ma poitrine était douloureuse et les larmes roulaient sur mes joues. Je m'efforçai d'oublier le monde qui m'entourait.

Jeremiah.

Je pensai à son visage, à l'étreinte de ses bras puissants. *J'aurais dû vous laisser vous expliquer...* Mais expliquer quoi, exactement? Je lui avais avoué mon amour dans un moment de candeur, et il avait fui comme pourchassé par un essaim de frelons.

D'en bas me parvinrent des bruits de coups et d'objets brisés, mais je n'y prêtai pas intérêt, trop accablée par mon propre malheur. *Comment cela a-t-il pu m'arriver?* me demandai-je en revivant les événements de la journée.

Dans quelle folie me suis-je embarquée?

Une alarme stridente me tira d'un sommeil lourd mais agité.

Je sursautai, rejetai les draps et tâtonnai vers le bord du lit. Surprise que le sommier soit si haut, je trébuchai en me levant. Je me ruai vers la porte et l'ouvris à la volée. Une odeur de fumée assaillit mes narines. Je dégringolai l'escalier, sans savoir ce que j'allais trouver.

Depuis la cuisine, Lucas me regarda débouler. Affublé de lunettes de soleil, il m'adressa un sourire radieux.

– Bonjour, beauté. Je suis en train de préparer le petit déjeuner. Ça vous tente?

Il tenait une fourchette dans une main et un grille-pain chromé débranché était coincé sous son bras. L'appareil était sans doute à l'origine du déclenchement de l'alarme incendie. Il le reposa sur le plan de travail et se dirigea vers le réfrigérateur.

– Des œufs?

Je le contemplai, hébétée, encore assommée par ce réveil brutal. Tout en s'agitant, il sifflotait un air entraînant.

Je secouai la tête avant de tourner mon regard en direction du salon. Ce que je découvris me remplit de stupeur.

– Que s'est-il passé? m'exclamai-je en descendant les dernières marches.

– Oh, ça? J'ai juste redécoré la pièce.

On aurait dit qu'un ouragan avait dévasté les lieux au cours de la nuit. Un fauteuil était renversé, plusieurs tableaux avaient été décrochés des murs, la table basse en bois était cul par-dessus tête. Pour autant, rien ne me semblait avoir été cassé. C'était le bazar, mais pas irréparable. Perplexe, j'évitai le salon et me perchai sur un des tabourets de la cuisine.

Une fois installée devant l'îlot central, la surface en granit me séparant prudemment de mon joyeux ravisseur, je tirai le grille-pain à moi et l'inspectai. Les sourcils froncés, je m'emparai d'une fourchette et en extirpai les ultimes vestiges d'une tranche de pain entièrement carbonisée.

– La cuisine n'est pas votre fort, hein? fis-je remarquer d'une voix moqueuse.

– N'importe quoi, répliqua-t-il. Je ne loupe aucune émission sur le sujet. Ce n'est pas si compliqué.

Après avoir allumé un brûleur de la cuisinière au maximum, il y posa une poêle dans laquelle il entreprit de casser des œufs. Je l'observai, un brin interloquée quand je constatai qu'il n'avait pas mis de beurre ou d'huile sur le fond en alu.

– C'est ça, soupirai-je, résignée à ce que l'alarme se remette à striduler.

Je m'accoudai au comptoir le temps d'émerger et de reprendre mes esprits.

– Et maintenant? demandai-je.

– Pardon?

– Je peux rentrer chez moi?

Il avait les yeux fixés sur la poêle, bien qu'il ne s'occupe pas vraiment des œufs, et je ne pus déchiffrer son expression.

– Ce n'est pas aussi simple, répondit-il au bout d'un moment.

– Je vous en prie, suppliai-je, mettant brièvement de côté mon orgueil. Après tout, je vous ai servi de traductrice dans cette espèce de trou à rat répugnant. Si ça se trouve, je suis désormais complice d'une activité criminelle.

Cette seule perspective fit trembloter mon menton.

– Je vous en supplie, Lucas, insistai-je. Je ne tiens pas à finir comme Anya.

Là! C'était dit. Avant de m'assoupir, la veille au soir, l'idée m'avait traversé l'esprit que la mort de la jeune femme – sa vie aussi, peut-être – était un sujet sensible chez le marchand d'armes. Sa réaction me prouva que j'avais raison: les jointures de ses phalanges blanchirent autour de la spatule qu'il tenait à la main.

– Très bien, murmura-t-il en poussant un gros soupir.

Il s'empressa de lever un doigt avant que je me mette à hurler de joie.

– À une condition, poursuivit-il. Vous assisterez à la dernière réunion avec moi.

– De quoi sera-t-il question?

– De paperasse pour l'essentiel. La rédaction des documents de transport. Tout aura lieu aujourd'hui. Vous veillerez à ce que le français soit correctement rédigé. Ensuite, vous serez libre.

Mes épaules s'affaissèrent sous l'effet du soulagement. La tension me quittait.

– Merci, chuchotai-je avec un sourire. Vos œufs brûlent.

Derrière lui, des volutes de fumée montaient de la poêle. Poussant un juron, il la retira du feu mais c'était trop tard. Cinq secondes après, l'alarme se déclencha. Lucas lâcha une bordée de jurons.

La scène étant du plus haut comique, je me mordis les lèvres pour ne pas m'esclaffer. En vain. Ma prochaine libération avait beaucoup amélioré mon humeur. Je descendis de mon tabouret, plissant le nez pour ne pas respirer l'odeur âcre.

– Mettez ça dans l'évier, conseillai-je. Surtout, n'y versez pas d'eau. Autrement, l'odeur ne s'estompera jamais.

Après une rapide inspection, je découvris dans le réfrigérateur ce dont j'avais besoin et, deux minutes plus tard, je mélangeai de la pâte dans un plat creux.

– Qu'est-ce que vous faites? s'enquit Lucas.

– Des pancakes. Et je vous bannis de la cuisine. Dehors!

Avec le fouet que j'avais à la main, je lui enjoignis de sortir.

– J'adore les commandantes en chef! marmonna-t-il.

Sur ce, il fila tandis que je le menaçai en riant de la spatule en bois couverte de bouts d'œufs calcinés.

Quand, quatre heures plus tard, la limousine se gara sur le port, je ne souriais plus. Je suivis Lucas, descendu le premier, en veillant à rester aussi près que possible. Si Jeremiah avait été présent, il m'aurait offert le soutien de son bras. En même temps, jamais le cadet des Hamilton ne m'aurait mise dans pareille situation. La seule pensée réconfortante était que, ma tâche achevée, j'en aurais fini avec Lucas et ses magouilles.

Je n'avais pas la moindre idée de l'endroit où nous nous trouvions. New York était loin derrière nous. Au fur et à mesure que nous nous en étions éloignés, l'anxiété me gagnait. L'espoir que Jeremiah surgisse pour me sauver la mise s'était progressivement estompé. J'avais tenté de me réconforter en songeant que je le reverrais bientôt, pour peu que Lucas tienne sa promesse et ne me refasse pas le coup d'un dernier service rendu.

Niall et ses hommes patientaient devant un gros bateau ancré au bout de la jetée. Sans pour autant être une experte, je me rendais compte que le navire était imposant, bien que moins récent et moins grand que la plupart des transporteurs qui remontaient ou descendaient l'Hudson. Il y avait des traînées de rouille sur la coque. J'eus l'impression qu'il s'agissait d'un chalutier, dont la cale ventrue servait à stocker la pêche du jour. Mais je doutais, vu sa présence dans les parages, qu'il serve encore à ce type d'activité.

– C'est quoi, ce rafiot? gronda Niall, mécontent, en désignant du pouce la carcasse métallique.

– Tu voulais un moyen de transport, je t'en fournis un, répliqua Lucas sans se laisser démonter. Tout a été chargé? demanda-t-il ensuite à un homme plus vieux qui se tenait à l'écart du groupe.

– Affirmatif. On attend vos ordres.

Mais Niall n'en avait pas terminé.

– Mec, si j'avais voulu un putain de canot de sauvetage, je l'aurais acheté moi-même!

– C'est un bon bateau, se défendit Lucas, et le capitaine Matthews prendra soin de la cargaison. Si tu veux que je livre ta marchandise à bon port, alors tu fais comme je dis. Crois-moi, conclut-il avec un large sourire, tu finiras par l'adorer, ce bateau!

L'Australien ne parut pas convaincu. Ce dont Lucas se moquait visiblement.

– Et où est notre cher docteur? s'enquit-il.

– Il voyage de son côté, grommela Niall. C'est nous qui accompagnerons le matos.

Au rictus malsain qui étira ses lèvres, j'eus l'intuition que cet arrangement cachait quelque chose. Cela n'affecta pas la bonne humeur de Lucas.

– Eh bien, messieurs, déclara-t-il, vérifions que tout est à votre convenance, puis nous pourrons partir et…

– Non, nous avons d'autres affaires à régler, lança l'autre. La fille vient avec nous.

Mon cœur cessa aussitôt de battre. Lucas se contenta de rire.

– J'ai bien peur qu'elle reste avec moi, objecta-t-il.

Il me saisit le bras, mais se figea lorsque les hommes de l'Australien sortirent leurs armes.

– Tu ne m'avais pas dit que cette poupée-là appartenait à ton frère. À ton avis, combien serait-il prêt à payer pour la récupérer entière?

J'avalai ma salive, l'estomac noué par la peur. Si les armes n'étaient pas directement pointées sur nous, la menace n'en restait pas moins évidente. Lucas continuait d'arborer son sourire, mais il était moins enjoué. Il étudia Niall et ses acolytes.

– Un bon paquet, je pense, répondit-il.

Il claqua des mains, ce qui incita deux des hommes de main à braquer leur pistolet.

– Ma foi, capitaine, poursuivit Lucas à l'adresse de Matthews, il apparaît que nous aurons quelques invités lors de la traversée. Veillez à ce que tout soit prêt pour les accueillir.

– À vos ordres.

– C'est ça, s'exclama Niall, ravi d'avoir emporté le morceau. Toi, tu viens avec moi.

Il avança d'un pas, tendit le bras pour m'attraper. J'eus un mouvement de recul, prête à me défendre bec et ongles, mais Lucas s'interposa. Il fut si rapide que je n'aperçus son arme qu'une fois qu'il l'eût appuyée sous le menton de l'Australien, qui s'arrêta net. Son visage s'empourpra sous l'effet de la rage et de la peur. Il fusilla Lucas des yeux.

– Mlle Delacourt reste avec moi.

Toute trace de jovialité avait disparu dans la voix de Lucas. Il approcha son visage de celui de Niall.

– Mon navire, mes règles, me suis-je bien fait comprendre, monsieur Jackson? ajouta-t-il.

L'interpellé grimaça.

Derrière lui, ses sbires nous tenaient en joue. Je croisai les doigts pour que Lucas sache ce qu'il faisait.

– Ils vous tueront, toi et la fille, grogna Niall.

Lucas enfonça le canon de son revolver dans la chair tendre du menton.

– Peut-être, acquiesça-t-il d'un ton vaguement amusé, mais toi, tu seras déjà mort.

Les deux hommes se défièrent du regard, aucun ne voulant céder. Mais lorsque Lucas arma le chien, l'éclat se ternit dans les prunelles de son adversaire.

– Rangez vos flingues! ordonna-t-il à ses hommes.

Ils obtempérèrent et le blond recula. Lucas baissa son arme à son tour, sans cesser de garder Niall dans sa ligne de mire.

– Tu me le paieras, lui promit ce dernier.

– J'ai déjà une belle ardoise. Tu attendras ton tour.

Sur ce, Lucas me saisit par le coude et m'entraîna vers la passerelle. Quand je tentai de résister et d'échapper à sa prise, il sembla ne même pas s'en apercevoir et m'entraîna vers la passerelle pour monter à bord.

– Vous aviez promis de me laisser partir! m'écriai-je en me débattant.

– En effet, admit-il.

Ses lèvres n'étaient plus qu'une mince ligne sévère. Nous longeâmes l'embarcation, qui avait tout d'un nid à tétanos, en dépit des travaux de peinture censés dissimuler la misère. Elle tanguait sur les eaux agitées. Alors que nous dépassions la partie centrale du bateau, je distinguai la porte d'une cabine.

– Par ici. Attention où vous mettez les pieds.

La passerelle s'enfonçait dans les entrailles du navire où résonnait le bruit de l'écoulement de l'eau suintante. Des membres d'équipage s'échinaient à ranger des caisses au fond de la cale, d'où s'élevaient divers escaliers et passages métalliques menant aux différents ponts.

Nous descendîmes jusqu'en bas, empruntâmes une nouvelle passerelle puis, après avoir bifurqué, débouchâmes sur une coursive à mi-hauteur de la coque. Plusieurs portes s'ouvraient sur notre gauche. Nous les dépassâmes jusqu'à un battant que Lucas poussa avant de m'inviter à entrer du geste.

La cabine était en bien meilleur état que le reste du bateau. Petite et claire, elle était équipée d'un lit double, de quelques meubles et, à mon grand soulagement, d'une salle d'eau attenante.

– Vos quartiers pour les prochains jours, annonça Lucas, pendant que j'inspectai la pièce.

Il passa une main dans ses cheveux, seul signe tangible de sa nervosité. Comme son frère, il affichait un visage difficile à déchiffrer. Seul manquait le sourire insolent qui lui était habituel.

– Il y a des cachets dans l'armoire à pharmacie de la salle de bains si jamais vous avez le mal de mer. N'ouvrez à personne sauf à moi et vous serez en sécurité.

– C'est une promesse, repartis-je avec ironie. Comme celle concernant ma libération?

– Touché, admit-il en hochant légèrement le menton.

Il repartait déjà quand je le hélai.

– Lucas?

Il s'arrêta, se tourna vers moi.

– C'est ce qui est arrivé à Anya? demandai-je.

– Non. Elle aimait le danger, elle trouvait ça romantique. Et, comme un idiot, je l'autorisais à m'accompagner.

Il secoua la tête et soupira, avant de sortir et de refermer la porte derrière lui. Je m'empressai de tirer le verrou puis me laissai tomber sur le matelas dur. Sous le choc de ce qu'il venait de me révéler sur la Russe, j'attrapai un oreiller et y enfouis mon visage. J'étais vraiment dans le pétrin !

Un mois auparavant à peine, j'étais une secrétaire intérimaire qui réussissait tout juste à joindre les deux bouts. Comment m'étais-je débrouillée pour atterrir à bord du navire d'un trafiquant d'armes ?

J'étais toujours allongée lorsque, quelques minutes plus tard, je perçus les vibrations du bateau qui larguait les amarres. Fermant les yeux, je roulai sur le ventre, accablée par le tournant désastreux qu'avait pris mon existence.

Alors que nous gagnions le large, la mer devint plus agitée. Ma famille n'ayant jamais eu l'occasion de faire des virées en bateau, je n'avais pas le pied marin. Pour le moment, tout allait bien, mais prévenir valant mieux que guérir. Je me rendis à la salle d'eau pour avaler un cachet.

Contrairement à la chambre que Lucas m'avait réservée dans son loft new-yorkais. Sobre au point d'en être spartiate, elle n'avait visiblement pas été occupée par une femme. La majorité de ce qu'elle contenait était soit vissé soit soudé au plancher, ce qui semblait légitime pour des traversées en haute mer. Même l'étagère était munie d'un haut rebord afin d'empêcher les livres qu'elle contenait de voler dans tous les sens. Je jetai un coup d'œil aux différents titres des volumes qui, tous, étaient vieux et abîmés, comme s'ils avaient été lus et relus. Je ne fus pas surprise de découvrir *L'Art de la guerre* de Sun Tzu, ni *Le Prince* de Machiavel. En revanche, je ne m'attendais pas à trouver des auteurs comme Tolkien ou C.S. Lewis dans la cabine de Lucas. *Choix intéressant*, songeai-je en me détournant de la bibliothèque pour examiner le reste de la cabine.

Un cadre photo était posé sur une commode étroite. Quand je voulus le prendre, je m'aperçus qu'il était scotché sur le meuble. Je me penchai pour détailler la photo de plus près. Même s'il était difficile de déterminer de quand exactement datait le cliché, je déduisis que les deux garçonnets qui y figuraient devaient être Lucas et Jeremiah. La côte en arrière-plan ressemblait beaucoup à celle où se trouvait la résidence des Hamptons que j'avais bien malgré moi visitée récemment. Si les enfants ne souriaient pas, leur proximité physique suggérait un véritable lien – aujourd'hui rompu.

Soudain, on frappa à la porte. Je sursautai, comme prise en faute. Levant les yeux au ciel, j'inspirais un bon coup et allais ouvrir. C'était Lucas.

– Ne vous ai-je pas demandé de vérifier qui était là avant d'ouvrir? s'emporta-t-il en s'engouffrant dans la pièce.

– À vos ordres, Maître! répliquai-je, railleuse, ce qui me valut un regard carrément exaspéré. Qu'est-ce que c'est?

Il venait de déposer un paquet sur le lit.

– Des vêtements, répondit-il en oubliant un instant les questions de sécurité. Je les ai fait apporter avant notre appareillage. Et non, ils n'appartenaient pas à Anya. J'ai envoyé l'un de mes hommes les acheter hier soir. Ils sont à votre taille.

– Combien de temps comptiez-vous donc me garder avec vous? lançai-je, suspicieuse.

– Je ne comprends pas votre question, éluda-t-il avec un immense sourire ravageur. Votre nouvelle chambre vous plaît-elle?

Il s'adressait à moi comme si nous étions les meilleurs amis du monde, ce qui ne fit que renforcer mes soupçons.

– Ça va, admis-je d'une voix prudente.

– Tant mieux! Figurez-vous que je l'occuperai avec vous.

– Dans vos rêves! Pas question!

Quel culot! La seule idée de dormir dans la même pièce que lui… À plus forte raison dans le même lit!

– Oh que si! riposta-t-il en tapotant de l'index sur le bout de mon nez avant que j'aie eu le temps de reculer. Vous m'en serez reconnaissante, d'ailleurs. Et puis, c'est est ma cabine. Vous ne voudriez tout de même pas que je me contente d'une couchette avec mes hommes, non?

– Si! explosai-je.

Il leva les yeux au ciel d'un air moqueur.

– Bon, reprit-il, il faut que j'aille vérifier que nous nous éloignons du continent sans ennuis. J'espère avoir graissé les bonnes pattes, cette fois. Faites comme chez vous.

– Comment ça, cette fois? repris-je.

Mais il filait déjà. Avec un grognement, je poussai le verrou, bien décidée à ne pas lui ouvrir lorsqu'il reviendrait frapper. Puis j'allai prendre un livre, résignée à sombrer dans l'ennui.

J'ignore combien de temps plus tard, des coups retentirent à la porte. J'avais lu un quart de *L'Art de la guerre*, ayant abandonné Tolkien dès le deuxième chapitre. Je tournai ma page, ignorant délibérément mon visiteur, quiconque puisse-t-il être. Nous n'avions fait aucune escale depuis notre départ, et je n'étais toujours pas d'humeur sociable.

De nouveaux coups ébranlèrent la porte. Exaspérée, je finis par lâcher mon bouquin.

– Qui est là? criai-je d'une voix agacée.

– Ah! Voilà qui est bien mieux!

– Ce n'est pas en vous moquant que je vous laisserai entrer ici, répliquai-je en croisant les bras sur ma poitrine.

– Vous n'avez pas faim?

La seule idée de nourriture suffit à déclencher des gargouillements dans mon ventre, et je me dépêchai de lui ouvrir. Lucas était planté dans le couloir, un plateau dans les mains.

– Puis-je me joindre à vous pour le dîner? s'enquit-il.

La politesse de sa requête me déstabilisa.

– Bien sûr, opinai-je avec un haussement d'épaules.

Je m'écartai pour le laisser passer. Les bonnes odeurs qui émanaient du plateau me mirent l'eau à la bouche, et je lui emboîtai le pas tandis qu'il le posait sur la commode.

– J'imagine que je ne suis pas autorisée à manger dans ce qui sert de réfectoire à bord? lâchai-je, non sans regarder par-dessus son épaule pour voir ce qu'il m'avait apporté.

– On parle de coquerie, chez les marins. Et vous avez raison. Autant j'ai confiance en mes hommes, autant Niall trimballe toute une bande d'affreux dont je ne connais pas les intentions à votre égard.

La perspective d'être la seule femme sur un navire bondé d'hommes faillit me couper l'appétit, et je frissonnai.

– Anya a-t-elle jamais voyagé sur ce bateau?

– Pas souvent. À deux reprises. Elle appréciait les attentions qu'elle recevait. Je ne crois que pas qu'elles vous plairaient autant qu'à elle.

Il me gratifia d'un drôle de regard.

Nous dînâmes en silence, ce qui me convint fort bien. La nourriture était correcte et relativement équilibrée, bien que les haricots verts aient un arrière-goût de lard fumé.

– Qui est votre cuisinier?

– Alexeï. Il prétend avoir une formation de cuistot, mais j'ai de sacrés doutes.

– Ah.

Le silence retomba, un peu gêné cette fois, mais supportable. Lucas semblait perdu dans ses pensées, ce qui me donna une rare occasion de l'observer discrètement. Lorsqu'il arborait cet air grave, il ressemblait énormément à son frère. Je continuais d'avoir du mal à admettre qu'il soit l'aîné des deux. Bien que plus svelte et petit que son ex-militaire de frère, il avait certains de ses traits et la même peau mate. Sa pâle balafre tranchait sur son teint sombre. C'était elle, par-dessus tout, qui le distinguait de Jeremiah.

Leurs différences de caractère étaient frappantes. Là où son cadet était maussade et torturé, Lucas était… comment l'exprimer? Son masque à lui était tout autre, et j'avais tout autant de difficultés à le percer. Loin d'être menaçant, en surface du moins. Sa bouche était la plupart du temps fendue en un sourire à la Joker, comme si l'ironie et les plaisanteries lui permettaient de maintenir une certaine distance avec les gens.

J'avais beau aimer les énigmes, les hommes de la famille Hamilton représentaient un mystère qui me dépassait.

– Si je comprends bien, je suis coincée ici jusqu'à ce que nous ayons atteint notre destination?

Ma question était empreinte d'une résignation presque décontractée. Les Hamilton avaient au moins en commun une fâcheuse tendance à me garder prisonnière. À ma grande surprise, Lucas secoua la tête.

– Vous êtes plus en sécurité dans cette cabine, mais si l'envie vous prend de vous balader à bord, ne vous gênez pas. Bien sûr, vous devrez être escortée par l'un de mes hommes.

Je fronçai les sourcils mais il n'en tint pas compte.

– D'une geôle à l'autre, marmonnai-je en jouant avec le reste de mes haricots verts.

J'avais été une « invitée » dans la maison des Hamptons durant presque quinze jours, obligée de me cantonner à l'intérieur du manoir. Pourtant, je n'avais pas été épargnée. On m'avait tiré dessus et enlevée, j'avais frôlé la mort avant que mon amant, ancien tireur d'élite de l'armée, abatte mon assaillant sous mes yeux. Ce souvenir m'ayant définitivement coupé l'appétit, je repoussai mon assiette.

– Et maintenant? m'enquis-je.

– D'ordinaire, je ne participe pas à ces voyages. Je suis plus du genre à prendre un avion privé pour me régaler d'un joli paysage tropical et d'un bon cocktail à base de rhum. J'adore les petits parasols qu'ils y collent.

Il m'adressa un clin d'œil joyeux.

– Bien entendu, répondis-je.

Les conversations avec cet homme avaient tout d'une discussion avec un enfant qui vous court dans les pattes. Bizarres, sans suite logique, mais divertissantes.

– Cinq jours de trajet, c'est bien ça? repris-je.

– Oui. Entre-temps, j'aurais trouvé un moyen de vous rapatrier chez vous.

J'avais très envie de le croire. Pourtant, je me bornai à acquiescer d'un air sombre.

Il s'empara du livre que j'avais abandonné sur le lit et le feuilleta.

– Excellent choix, commenta-t-il. Vous y trouverez tout un tas de conseils pratiques qui ne sont utiles qu'en cas de conflit.

– Ben voyons, maugréai-je en récupérant l'ouvrage et en le contemplant.

Lucas glissa un doigt sous mon menton et m'obligea à croiser son regard.

– Toute lutte est fondée sur la tromperie, souffla-t-il. Faites-vous passer pour faible quand vous êtes fort, et pour fort quand vous êtes faible. Le véritable art de la guerre, c'est de soumettre l'ennemi sans combat.

Je compris alors qu'il citait des extraits de l'ouvrage.

– Le summum est de soumettre l'ennemi sans verser une seule goutte de sang. En amour comme à la guerre.

Il baissa ses yeux bleu-vert pour fixer ma bouche.

– Pour connaître l'ennemi, deviens ton ennemi.

Ma citation le fit tressaillir, et il replongea son regard dans le mien. Un sourire, sûrement le plus authentique que je lui aie jamais vu, étira ses lèvres.

– Rien de plus vrai, commenta-t-il.

Prise d'une soudaine timidité, je rompis le contact et m'écartai.

– Merci pour le repas, dis-je en veillant à conserver le lit entre nous.

– Je vous en prie. Reposez-vous. Inutile de m'attendre, dormez.

Une fois encore, il me gratifia d'un clin d'œil guilleret. L'inquiétude me fit écarquiller les yeux tandis qu'il regagnait la coursive en sifflotant.

– Bonne nuit! me lança-t-il, narquois, avant de disparaître.

Je poussai un soupir irrité. *Les hommes!* Après avoir posé le paquet de vêtements par terre, je me laissai tomber sur le matelas et fixai le plafond. Je n'étais pas du tout fatiguée. Je remontai tout de même la couette sur moi, m'emparai de mon livre et retrouvai l'endroit où j'avais interrompu ma lecture. La semaine promettait d'être longue.

3

Quand je me réveillai, la cabine était plongée dans une obscurité que seule rompait la lueur d'une veilleuse. Le matelas tanguait et roulait, et une brusque nausée me rappela que j'étais à bord d'un navire. Je tendis le bras sur le côté et fus soulagée de constater que j'étais seule.

Je repoussai les draps mais m'interrompis quand un faible ronflement me parvint depuis le centre de la cabine. Rampant sans bruit jusqu'au pied du lit, je découvris Lucas, profondément endormi sur le sol. Étendu en croix sur le ventre, il prenait un maximum de place. Ses couvertures tirebouchonnaient autour de son corps mince. D'après ce que j'apercevais… Je roulai sur mon lit en rougissant. Pas question de vérifier s'il était aussi nu qu'il en avait l'air.

Je patientai un bon moment avant de me lever aussi discrètement que possible. J'attrapai le paquet de vêtements et contournai le dormeur sur la pointe des pieds. Le tapis mince était frais, et les craquements provoqués par mes pas se fondaient dans les bruits de fond du bateau. Ce fut avec un gros soupir de soulagement que je réussis à m'introduire dans la salle d'eau.

Après avoir refermé derrière moi, je me débarbouillai le visage, tirai mes cheveux indociles en queue-de-cheval. Jetant un rapide coup d'œil dans la cabine, je fonçai sans un bruit vers la porte, enfilai mes chaussures et un caban, puis me faufilai dehors.

Il n'y avait personne en vue et j'en fus bien contente. Des tréfonds de la coque me parvint le son de quintes de toux, plus près de moi j'entendis des voix assez fortes. D'une démarche hésitante, je me dirigeai vers elles. La dernière porte du couloir était ouverte. Lorsque j'y passai la tête, les conversations s'arrêtèrent net. Tous les hommes qui se trouvaient là me dévisageaient.

Le réfectoire. C'est tout ce que mon cerveau put formuler. Pour le reste, je me pétrifiai. J'essayai de m'exprimer – en vain. Aussi, je me bornai à faire un signe de la main. Cela suffit à rompre le charme. Tous se détournèrent et reprirent le repas que mon apparition avait interrompu. *Ma pauvre fille*, me morigénai-je, *tu n'es qu'une gourde.*

Je choisis de monter vers le pont supérieur plutôt que de m'enfoncer dans les entrailles du navire. Je dus pousser fort sur une porte pour émerger à l'extérieur. Comme des nuages gris cachaient le soleil, je ne sus définir quelle heure il était. De violentes bourrasques faisaient rouler et tanguer le bateau. Les embruns me couvrirent rapidement d'une fine pellicule d'humidité. Serrant les pans de mon caban, je m'agrippai au bastingage tout en observant l'agitation de l'océan. Par bonheur, j'avais avalé un

nouveau cachet avant de quitter ma cabine. Je me félici-
tai d'avoir pris cette précaution car mon estomac n'était
guère enchanté par les mouvements du navire. À part ça,
j'étais ravie par l'expérience.

J'étais la seule à être assez idiote pour me mettre sur le
pont aussi tôt le matin. Même si cela signifiait que j'avais
les lieux pour moi, je comprenais pourquoi les autres pré-
féraient ne pas sortir – le froid était pénétrant et réussissait
même à s'infiltrer sous l'épaisse laine du caban. En rasant
les murs, je rejoignis une porte que j'avais remarquée au
bout du pont. Je tirai le battant et fus aussitôt assaillie par
une bouffée d'air chaud qui me fit prendre conscience
que j'avais le bout du nez gelé. Je me dépêchai d'entrer et
grimpai l'escalier d'un pas hésitant, l'œil aux aguets.

L'atmosphère enfumée et l'odeur de tabac m'indi-
quèrent que la passerelle supérieure était occupée. Je
distinguai d'ailleurs un murmure. Glissant la tête par
l'écoutille pratiquée au sommet des marches, j'aperçus
deux hommes installés sur des chaises vissées au sol. Ils
regardaient par les fenêtres qui surmontaient le tableau
de bord. J'identifiai le capitaine, entrevu la veille, mais pas
son voisin. Ils donnaient tous les deux la même impression d'être de vieux loups de mer burinés et bourrus. Mais
rien dans leur attitude ne dégageait de violence ou n'exprimait de menace, contrairement à ce que j'avais pres-
senti chez les hommes attablés en bas.

– Regarde-moi un peu qui va là !

Je leur adressai un petit coucou timide de la main. Ils pivotèrent vers moi et le capitaine me fit signe de monter.

– Restez donc pas plantée là! s'exclama-t-il tandis que son visage ridé se fendait d'un sourire. On mord pas, juré.

– Moi si, objecta son voisin en souriant à son tour, dévoilant une dentition loin d'être complète. Autrefois. Aujourd'hui, j'ai perdu presque tous mes crocs.

Le capitaine lui flanqua une tape sur le crâne, et l'autre émit un couinement amusé. Je grimpai avec bonne humeur les dernières marches de l'escalier et entrai dans le poste de pilotage. Les deux hommes se trouvaient de part et d'autre d'une table pliante. Un grand bol rempli de piécettes était posé dessus. Ici, le roulis était plus perceptible qu'en bas, et je m'accrochai à la rampe. Le capitaine me tendit la main.

– Seth Matthews, se présenta-t-il d'une voix bourrue. Mais personne m'appelle par mon prénom. Et ce voyou, c'est mon second, Francis Buttercup.

– La ferme, intima l'autre en lui assenant un coup de coude avant de me tendre la main à son tour. Appelez-moi Frank.

Sa paume, comme celle du capitaine, était calleuse comme du cuir brut. Il indiqua la table d'un geste.

– Vous jouez au poker, petite?

Sans attendre ma réponse, les deux hommes tirèrent un tabouret de derrière la timonerie et redistribuèrent les cartes. Les piécettes furent également réparties entre nous trois. Mes partenaires n'étaient, semblait-il, pas assez féroces pour ne pas partager leur richesse. Le capitaine continuait de surveiller la mer, ses indicateurs et ses cadrans, ce qui ne l'empêchait nullement de participer activement au jeu.

– Vous recevez beaucoup de visite ici? demandai-je en tirant une reine de cœur.

– Non, pas vraiment, répondit Matthews, qui se frotta la tête. De toute façon, on ne les encourage pas vraiment. On apprécie pas trop les types qui voyagent sur ce bateau, si vous voyez ce que je veux dire.

Je lâchai un soupir soulagé, heureuse de voir que mon opinion était partagée.

– Je n'étais encore jamais montée à bord d'un navire aussi gros.

– C'est un baptême, alors?

Je hochai la tête.

– Ça vous tenterait de prendre la barre? proposa le capitaine.

Je lui adressai un sourire ravi et ne tardai pas à me retrouver à la barre, tandis qu'il me dispensait des conseils simples pour garder le cap.

– Vous auriez dû voir mon chalutier, s'exclama-t-il, plongé dans ses souvenirs. Il était souple, un bonheur à barrer, et il fendait les eaux comme aucun autre bateau. C'était le plus rapide de la flotte, avec le meilleur équipage qui soit. Rien en commun avec ce tas de rouille.

– Parce que celui-ci ne vous appartient pas?

– Si, si, reconnut Matthews sans grand enthousiasme mais en tapotant les commandes avec affection. On a sué sang et eau pour l'améliorer. Il est un peu comme un outsider. Ne vous fiez pas aux apparences, il est plus rapide que la majorité des navires de son tonnage. Il n'empêche, ce sera toujours comme comparer un char d'assaut à une voiture de course.

Son accès de nostalgie me fit sourire. J'allais l'interroger de nouveau lorsqu'un courant d'air froid monta de l'entrée, en bas. Je me figeai quand j'entendis un accent écossais.

– Je crois bien l'avoir vue venir ici, chef.

Soudain, la tête de Niall apparut au-dessus de l'écoutille. Un rictus satisfait déformait ses traits.

– Tiens, tiens, tiens! Si ce n'est pas ma poupée! Justement, on te cherchait, ma chérie.

Il adressa un geste méprisant à mes compagnons.

– Ne bougez pas les gars, ajouta-t-il. Elle vient avec moi.

– Ça m'étonnerait, murmura Matthews.

Le capitaine et son second se postèrent devant moi, formant un rempart solide. Niall leur jeta un regard coléreux. Matthews attrapa quelque chose en douce sous la table et le garda dans son dos.

– Vous avez intérêt à m'obéir! exigea l'Australien.

Ses menaces parurent toutefois ne produire aucun effet.

– Tu le laisses te parler sur ce ton? demanda Frank d'une voix calme sans quitter le blond des yeux.

– Non, tu as raison, admit son supérieur. J'aime pas beaucoup son arrogance.

Niall écarta alors un pan de son gros manteau et découvrit l'arme qu'il portait à la hanche.

– Elle vient avec nous, lâcha-t-il lentement.

– Le voilà qui se prend pour un porte-flingue, maintenant! siffla Frank, railleur.

Le capitaine ricana.

– C'est sûrement son sang de cow-boy australien qui parle! Sauf qu'il fait pas le poids.

Sur ce, il brandit le fusil qu'il dissimulait dans son dos et le pointa sur Niall avec un sourire mauvais.

– Alors, gamin, toujours envie de te battre?

Aussitôt, le blond et son acolyte écossais levèrent les mains.

– Putain de rafiot! s'exclama le premier, furieux. Je n'ai pas craché autant de pognon pour être traité comme ça. Vous bossez pour moi!

– Non, pour moi! lança joyeusement la voix de Lucas depuis le bas des marches.

Je poussai un soupir de soulagement quand je le vis grimper prestement l'escalier et dépasser les deux hommes en colère pour se planter de notre côté.

– Et si vous redescendiez voir ce que mijotent vos gars? leur suggéra-t-il.

Tout à coup, Niall se rua sur Lucas, mais l'Écossais le retint au dernier moment.

– Chef! hurla-t-il.

L'Australien repoussa brutalement son homme de main et menaça l'aîné des Hamilton du doigt.

– La rançon pour cette nana sera à moi, Loki!

Niall écarta alors son complice et s'en alla en claquant la porte derrière lui.

– Une rançon? grommela Matthews à mon adresse. Vous devez être drôlement importante aux yeux d'un sacré gros bonnet pour affoler autant le slip de ce type.

– Mon frère, révéla Lucas. Qui ignore qu'elle est ici avec moi.

Le capitaine poussa un sifflement.

– Vous vous débrouillerez tout seul sur ce coup-là, dit-il ensuite. Pas question de me mêler à cette embrouille. Ce requin vous a-t-il raconté comment je l'avais connu? me demanda-t-il ensuite en désignant mon ravisseur du pouce.

Son ton me fit sourire. Matthews semblait toujours avoir une bonne histoire sous le coude. La tension finit par se dissiper. Lucas s'adossa au tableau de bord et soupira:

– Il faut vraiment que vous racontiez cette histoire à tout le monde?

– Pas à tout le monde, repartit le capitaine en me gratifiant d'un clin d'œil complice. Juste à ceux dont je suis sûr qu'ils vous la laisseront pas oublier. Alors, voilà. Je viens de rentrer d'une virée en mer et je me trouve dans mon bar préféré à picoler pour relâcher un peu la pression quand ce gars, en costard trois pièces, me demande si je cherche du travail. Je pue le poisson et je me suis pas douché depuis des semaines, vu que je débarque à peine de mon bateau. En plus, j'avais chopé le fiston d'un copain en train de fumer un joint et j'avais été obligé de le virer. Donc, je suis pas de très bonne humeur.

Matthews s'interrompit pour reprendre son souffle avant d'enchaîner :

– Il m'offre un sacré paquet de fric, assez pour éveiller mon attention. Mais comme il me donne l'impression d'être un foutu prétentieux, je lui propose un marché : s'il accepte de bosser une journée sur mon navire, j'écouterai ce qu'il attend de moi. Le gamin essaye de m'embobiner, sauf que je mords pas à l'hameçon. Franchement, j'ai été content de le voir tourner les talons, j'avais envie de boire en paix. Bref, vous imaginez ma surprise quand, le lendemain, il se ramène sur le quai. Il a aucune idée de ce qui l'attend, mais il est plein de bonne volonté. J'ai immédiatement regretté de l'avoir provoqué. Malheureusement, je m'étais engagé.

– Vous m'avez exploité jusqu'à la moelle, précisa Lucas en croisant les bras sur sa poitrine.

Son sourire démentait la rancœur qu'auraient pu exprimer ses mots.

– Je vous ai fait trimer comme n'importe quel moussaillon, riposta le capitaine. C'est le reste de l'équipage qui vous a le plus harcelé. Mais figurez-vous, ajouta-t-il à mon intention, que ce petit merdeux a réussi à tenir sans craquer. Il a même gagné le respect de mes hommes en donnant tout ce qu'il avait. C'est pas rien, en mer. Alors quand on est rentrés au port, je lui ai refilé sa part des bénefs. Mais il m'a dit de la garder et m'a proposé un boulot. À moi!

– Et vous l'avez accepté, si ma mémoire est bonne, commenta Lucas.

Matthews haussa les épaules.

– J'ai plus gagné avec cette petite expédition que ce que m'avait rapporté la saison de pêche de l'année précédente.

Il sembla soudain devenir grave.

– Mes gars me manquent, mais ils étaient pères de famille et je voulais pas les fourrer dans le pétrin. Y a que ce crétin de Frank qui a refusé de quitter le bateau, alors je l'ai embarqué avec moi. Ma foi, on est vieux, on a plus de femme ni de gosses. L'idéal pour ce genre de vie.

Mon cerveau avait du mal à se représenter Lucas engoncé dans des cuissardes en train de vider des poissons. Remarquant que je l'observai, il me gratifia de son sourire narquois habituel.

– Quoi? me lança-t-il. Vous pensez que je suis incapable de m'en sortir dans la cour des grands?

À cet instant, un *boum* étouffé m'évita de répondre. Matthews pivota aussitôt en direction de son tableau de bord, s'empara de la roue, la manœuvra à droite et à gauche, vérifia ses instruments.

– On a plus de jus, commenta-t-il sans plus aucune trace d'amusement dans la voix. Le gouvernail fonctionne, mais j'ai perdu les moteurs.

Lucas se précipita en bas, m'entraînant avec lui.

– Est-ce que je peux vous aider? m'enquis-je.

– Bien sûr. Vous vous y connaissez en mécanique?

– Non, marmonnai-je, déçue.

Nous regagnâmes rapidement notre cabine. J'étais en proie à un profond sentiment d'injustice. Non seulement j'étais une prisonnière mais, de surcroît, une prisonnière *inutile*. Lucas dut sentir mon agacement car il marqua un temps d'arrêt.

– Je suis obligé de vous garder ici pendant que je règle le problème. Je vous promets de vous tenir au courant dès que j'aurai du nouveau. Ça marche?

Légèrement rassurée, j'opinai. Il me récompensa d'un sourire qui me liquéfia.

– N'oubliez pas de vous enfermer à clé, précisa-t-il en sortant.

– À vos ordres!

Après une parodie de salut militaire, je lui claquai la porte au nez. Fidèle à ma parole, je la verrouillai puis allai m'asseoir sur le lit. Mon regard fit le tour de mon étroite geôle. *Quelle ironie du sort si je mourais ici?* Cette pensée morbide me troubla cependant. Lentement, je m'allongeai et fixai le mur du fond.

J'aurais aimé pouvoir déterminer ce qui m'avait conduite jusqu'ici. Le plus simple était d'accuser Lucas. C'était lui qui m'avait traînée à bord de ce navire. Même si, à l'origine, c'était le décès de mes parents qui avait interrompu mes études, je ne pouvais pas leur en vouloir. L'événement, bien qu'il remonte à plusieurs années, était encore trop douloureux. Depuis, ma vie n'avait été qu'une longue dégringolade et, alors que je croyais que la chance avait enfin tourné…

Pourquoi gâcher ce que nous partageons avec de telles platitudes?

Les mots prononcés par Jeremiah seulement quelques jours plus tôt me revinrent en mémoire, transperçant mon cœur d'une flèche incandescente. Je serrai les paupières afin de retenir mes larmes. J'avais déjà trop pleuré. Sa réaction à mes trois petits mots – *je vous aime* – m'avait poussée à quitter la maison des Hamptons et à me fourrer dans les ennuis jusqu'au cou. Je n'avais pas eu l'intention de dire cette phrase à voix haute. Elle m'avait échappé.

Je vous aime.

Son rejet avait été comme une gifle en pleine figure. Il m'avait dit de ne jamais redire ça avant de s'en aller.

Ai-je vraiment eu tort d'exprimer mes sentiments? Cette question me tourmentait plus que tout. Pourtant, je ne m'étais pas attendue à ce qu'il me réponde qu'il m'aimait aussi. Je n'étais pas aussi naïve : nous nous fréquentions depuis moins d'un mois. En même temps, il n'avait jamais précisé que ces mots étaient tabous. Si j'avais su qu'il préférait que les émotions soient tues, je n'aurai rien dit.

J'avais été prise au dépourvu. Pour autant, pouvais-je reprocher à Jeremiah ce qui m'arrivait ? *J'aimerais rejeter la faute sur lui.* Mais non. Je soupirai. Parfois, j'aimerais être moins pragmatique.

Soudain, on frappa. J'allais à la porte.

– Qui est-ce ?

– Lucas.

La voix était étouffée par l'épaisseur du battant. Je ne pus m'empêcher de sourire.

– Vous m'avez trouvé un truc à faire ? lançai-je en ouvrant.

Une rangée de dents jaunes me sourit.

– Salut ma belle.

Je tentai aussitôt de refermer la porte mais le corps massif de mon visiteur m'en empêcha. Je battis en retraite et courus me réfugier derrière le lit, Niall sur mes talons. Il m'empoigna par les cheveux, mais je parvins à échapper à son emprise, traversai la cabine et me retrouvai piégée dans un coin. Niall fit une pause, tel un prédateur se délectant de l'impuissance de sa proie. Lorsqu'il fit le tour du lit, je sautai par-dessus le matelas et fonçai vers la coursive.

J'étais sur le seuil, croyant être sortie d'affaire, quand une énorme main m'agrippa par la taille et me tira en arrière.

– Lucas! m'époumonai-je.

L'Australien me plaqua contre le mur et claqua la porte de la cabine.

– Ton chéri est à l'autre bout du rafiot, dit-il en se marrant. Je serais ravi que tu hurles mon nom, plutôt.

Il se colla à moi mais je roulai sur le côté, ma hanche heurtant au passage la commode. Le cadre photo qui s'y trouvait tomba sous le choc. Alors que mon agresseur se penchait vers moi, sûrement pour me voler un baiser, je m'en emparai et l'abattis sur son visage. Le coup était maladroit et faible, mais il suffit à le faire reculer et j'en profitai pour me réfugier dans la salle de bains.

Il y eut un silence, durant lequel Niall reprit ses esprits, interrompu par un véritable rugissement. Sans me laisser le temps de refermer le battant, l'homme se rua dans la pièce exiguë. Sa bonne humeur avait disparu. Sa grosse main autour de ma gorge, il me propulsa violemment contre la paroi de la douche. Déséquilibrée, immobilisée, je tentai vainement de griffer la poigne qui m'étranglait. L'Australien fit cogner ma tête contre la surface dure, encore et encore, au point que ma vue se brouilla. De sa main libre, il s'essuya le visage, grogna et me montra ses doigts rougis de sang.

– Espèce de petite salope!

Il me traîna hors de la salle d'eau et me jeta sur le lit. À moitié assommée, luttant pour respirer, je me débattis pour lui échapper. Mais il saisit mes jambes, me ramena vers lui et écrasa sa paume sur mon visage lorsque j'essayai de me relever. À travers la douleur qui envahissait tout mon corps, j'entendis le bruit d'une boucle de ceinturon qu'on détachait. *Non, par pitié…*

La suite me parvint de façon très floue. Un fracas retentit, suivi d'une détonation, et Niall s'écroula sur le flanc en couinant comme un porc qu'on égorge. Il s'effondra par terre à l'autre bout du lit, et je découvris Lucas qui avançait sur lui avec son revolver.

– Tu m'as tiré dessus!

– En effet. Et maintenant, je te donne trois secondes pour me convaincre de ne pas recommencer.

Reprenant un peu mes esprits, je me relevai et les regardai.

Derrière Lucas, l'Écossais entra dans la cabine à reculons, les mains en l'air. Frank apparut à son tour, le menaçant du fusil du capitaine qui arrivait en dernier, les yeux fixés sur Lucas.

Sur le sol, Niall gémissait en se balançant.

– Sale fils de pute! cracha-t-il.

Lucas tira de nouveau, et je tressaillis en entendant le hurlement de Niall. Je ne pouvais pas le voir mais je ressentais profondément la souffrance dans la voix de l'Australien.

– Tu as raison, pour ma mère, lâcha Lucas sur un ton dangereusement léger. Mais j'attends mieux.

– Quoi? marmonna l'autre, les dents serrées.

– Pourquoi tu as saboté mon navire?

Pour le coup, mon agresseur sembla dérouté.

– Comment? s'écria-t-il. Pourquoi est-ce que j'aurais fait ça? Non, non! se dépêcha-t-il d'ajouter en agitant les bras quand Lucas approcha d'un pas. Je te jure que je n'ai rien saboté du tout! Pourquoi je mettrai en danger ma cargaison?

– J'en conclus que ta visite ici relève uniquement du hasard, alors?

Si l'aîné des Hamilton s'exprimait avec la désinvolture qu'il aurait utilisée pour parler de la météo, je savais, pour avoir vu son frère agir de manière identique, que le danger n'était pas loin. Ce dont Niall paraissait complètement inconscient.

– J'ai saisi ma chance, OK? rétorqua-t-il.

L'arme fut cette fois dirigée droit sur son crâne. L'air jovial qu'affichait Lucas disparut, comme sous l'effet d'un interrupteur. Il s'approcha encore, plaça le canon sur le front de son adversaire qui se mit à bredouiller avant de s'écraser par terre, hors de ma vue.

– Fiston! lança la voix rude de Matthews.

Lucas se figea.

– Ne fais pas ça, poursuivit le capitaine en passant au tutoiement. Pas sous l'emprise de la colère ni devant la fille.

Durant une poignée de secondes, je crus que Lucas n'allait pas l'écouter. J'étais sous le choc. De l'autre côté du lit me parvenaient les suppliques de Niall. Le revolver trembla un instant, l'index se crispa sur la gâchette, puis le masque souriant de Lucas revint sur ses traits.

– Tu as du pot que je sois un type bien, dit-il en pointant son arme vers le plafond. Que son homme le ramène en bas. Enfermez-les tous les deux dans la soute avec une trousse d'urgence.

– Tu me le paieras, marmonna Niall tandis que l'Écossais l'aidait à se relever.

Lucas lui avait tiré dans la jambe à deux reprises.

– Je connais des gens qui ne seront pas très contents quand je…

Lucas rabaissa son revolver et, avec désinvolture, tira dans l'autre jambe de l'Australien. Ce dernier poussa un hurlement et s'effondra contre son acolyte.

– Finalement, je suis ne pas un type aussi bien que ça, commenta le balafré en secouant la tête. Que Dieu me préserve des amateurs!

Sanglotant, l'Australien fut évacué de la cabine, suivi de près par Frank qui continuait de tenir les deux hommes en joue. Lucas les regarda partir avant de se tourner vers moi.

– Comment est-il entré? me demanda-t-il.

Comme je ne répondais pas, il poursuivit d'une voix pleine de colère:

– Je vous avais pourtant conseillé de vous renseigner avant d'ouvrir!

– Il s'est fait passer pour vous, avouai-je en serrant mes genoux entre mes bras. Je vous ai obéi. J'ai cru que…

J'entendis un cliquetis, puis Lucas posa l'arme sur la commode et me prit dans ses bras. Je tentai d'échapper à son étreinte mais l'émotion commença à me submerger. Je me mis à trembler et m'accrochai à lui, comme à une ancre rassurante et protectrice.

– Je suis désolé, chuchota Lucas dans mes cheveux, alors que je me laissais aller contre lui.

– Je redescends vérifier où en sont les réparations, annonça le capitaine.

Je ne me donnai pas la peine de regarder dans sa direction, mais Lucas hocha la tête.

– Le gamin a littéralement volé quand il vous a entendue, continua Matthews à mon adresse avant de s'en aller en refermant la porte derrière lui.

Agrippée à Lucas, je cachai mon visage quand je fondis en larmes. Plus j'essayais de me contenir et plus j'étais secouée de sanglots. Le barrage rompit, je cédai à la fois à la colère et au soulagement.

Je me calmai peu à peu. Pendant tout ce temps, Lucas n'avait cessé de me bercer. Pour autant, je ne le lâchai pas et le retins même quand il desserra son étreinte.

– Ne partez pas, murmurai-je. Pas encore.

D'une main, il caressa mes cheveux tandis que de l'autre il frôlait mon dos. Je frémis, mais il ne descendit pas plus bas.

– J'ai commis une erreur en vous emmenant, marmonna-t-il, visiblement furieux contre lui-même. Bon sang, je n'aurais pas dû vous mêler à tout ça ! J'aurais pu me débrouiller autrement, sans vous, et vous seriez restée...

Il s'interrompit alors je relevai la tête pour le dévisager. Il regardait dans le vide, la bouche étirée en une ligne sévère. Quand il finit par croiser mon regard, je distinguai dans ses yeux un éclat qui me vrilla le ventre, et je ressentis en même temps combien notre contact était intime. Mes poings s'enroulèrent autour du fin tissu de sa chemise, et je me serrai contre lui.

– Merci, chuchotai-je en me réfugiant dans la chaleur réconfortante de son corps.

Son odeur et sa proximité me bouleversèrent, mais tout valait mieux que le souvenir de cette journée... non, de cette semaine.

– Je vous en prie, répondit-il d'une voix tendue.

Le désir se lisait dans ses yeux. Je me rappelai brusquement le baiser que nous avions échangé chez lui, la sensation de ses lèvres sur les miennes, son parfum envoûtant.

– Lucy...

Je ne sus pas ce qu'il allait dire, car je relevai la tête et posai ma bouche sur la sienne. Durant un instant, il ne réagit pas, et le désespoir s'empara de moi. *Aidez-moi à oublier!* Je nouai mes bras autour de sa taille et le tirai à moi. Alors, ses lèvres s'entrouvrirent. Un soupir m'échappa lorsqu'il me renversa sur le matelas. Il remonta mes poignets au-dessus de ma tête. Je gémis. Sa langue joua avec ma bouche, et il me sourit.

– Vous aimez ça, hein?

Oui. Je serrai les poings, avide de le caresser mais me délectant aussi de sa domination. Il glissa un genou entre mes cuisses, l'appuya fort contre mon sexe. Je tressaillis et arquai le dos pour mieux me coller à lui. Brièvement, à la pensée de Niall ensanglanté, je poussais un petit cri, interrompant notre baiser. Lucas posa son front sur le mien.

– Nous pouvons arrêter, si vous…

Je lui coupai aussitôt la parole en l'embrassant, et il ne protesta pas. Tenant mes poignets d'une seule main, il introduisit l'autre sous mon haut et entreprit de titiller l'un de mes tétons, tandis que sa bouche descendait le long de mon cou. Je gémis de nouveau et crochetai mes jambes autour de ses hanches étroites.

– Comme vous êtes bandante! murmura-t-il.

Je l'aidai à remonter mon corsage au-dessus de ma tête. Quand je sentis sa chaleur contre ma peau dénudée, je fus soudain engloutie par une vague de désir. Me libérant de son emprise, je tirai avec précipitation sur sa chemise. Ma maladresse lui arracha un rire étouffé qui m'irrita. Je le repoussai sur le dos et, le délestant de sa ceinture, j'enlevai son pantalon. Je découvris, sans grande surprise, sa queue déjà raidie. Je le saisis, promenai mon pouce sur le gland épais et fus récompensée par un soupir étouffé. Je glissai au pied du lit en griffant son torse de mes ongles et le pris dans ma bouche.

Il lâcha cette fois un juron et tandis qu'il se redressait. Je le gobais aussi profondément que je pus. Ses doigts agrippèrent mes cheveux tandis que j'embrassai, suçai, enfonçai mes ongles dans ses hanches pour mieux l'engloutir. À plusieurs reprises, j'agaçai son nœud turgescent avec la langue avant de l'enrouler autour de la hampe et de redescendre vers la base.

– Nom de dieu! s'exclama-t-il quand je caressai l'intérieur de ses cuisses du bout des doigts tout en mordillant gentiment l'extrémité de son membre durci.

Il prit ma tête entre ses mains, m'ôtant son sexe de la bouche, et m'attira contre lui. Docile, je suivis le mouvement et me mis à califourchon sur lui avant de chercher aussitôt sa bouche. Lucas m'embrassa avec une vigueur renouvelée et me fit rouler sur le lit.

– À mon tour, souffla-t-il.

Il déboutonna habilement mon pantalon tandis que je me soulevai pour l'aider. Il me retourna ensuite avec une certaine brusquerie, ce qui m'arracha un petit cri. Ses mains agrippèrent mes fesses et j'en miaulai de désir. Écartant mes replis intimes, il plongea le visage entre mes jambes.

Je lâchai un gémissement de plaisir, bondis en avant, mais ses mains autour de ma taille me maintenaient fermement en place. Alors qu'il me léchait et me suçait, j'enfouis ma tête dans un oreiller tout en gigotant sur le lit. Soudain, l'une de ses mains abandonna ma taille et ses longs doigts me pénétrèrent. Je me tendis comme un arc en gémissant. Il m'aurait enchaînée que je n'aurais pas été plus esclave des sensations qu'il provoquait en moi. Rien n'aurait pu m'amener à renoncer à une torture aussi délicieuse tant mon corps vibrait de plaisir. Maître en la matière, il savait parfaitement jouer avec mon corps.

Le bruit d'un étui de préservatif qu'on déballe m'annonça qu'on passait à une autre étape, mais j'étais dans un tel était que je ne m'en préoccupais pas. Quand sa bouche me délaissa, je me mis à grogner de frustration et à supplier en silence pour qu'il m'en donne encore et toujours plus. L'absence soudaine de tout contact m'était insupportable, mais le lit craqua et je le sentis se glisser derrière moi. Ses mains s'arrondirent sur les courbes de mon corps, ses ongles se plantèrent sur mes hanches et je m'agrippai plus fort à l'oreiller.

Lorsque son gland frôla l'entrée de mon sexe, je ne pus retenir un cri d'excitation, aussitôt suivi d'un halètement, car il venait de me pénétrer d'un seul et long mouvement assuré. Je mouillais comme une dingue et sa présence en moi précipita la montée de mon orgasme. Je ponctuai désormais chacune de mes respirations de cris, étouffés par l'oreiller mais bien audibles dans l'espace exiguë de la cabine. Tout mon corps était tendu, et je devinai aux mouvements erratiques de Lucas qu'il allait lui aussi atteindre l'orgasme.

Il modifia sa position, ajustant parfaitement ses coups de boutoir aux endroits les plus sensibles, et je cédai à la jouissance. Des vagues de plaisir m'emportaient tandis que Lucas continuait d'enfoncer sa queue, la moindre de ses allées et venues exacerbant mes sensations. Au bout d'un moment, il ne put plus se retenir et jouit à son tour avec un soupir étranglé, ses doigts crispés sur mes hanches. Il s'abattit lourdement sur moi, son haleine chaude me brûlant la peau.

Nous restâmes ainsi un moment, reprenant notre souffle. Il finit par se retirer et alla se laver. Allongée sur le ventre, pantelante et les yeux fermés, j'attendais que l'onde de choc s'estompe. Quand il revint dans la cabine, Lucas s'allongea près de moi, m'enlaça et me fit rouler sur le flanc entre ses bras. Je me blottis contre son torse tiède, rassurée par le réconfort de son étreinte.

– Navré de vous apprendre que j'ai un côté un peu sale con, me chuchota-t-il à l'oreille. Le vôtre est assurément l'un de mes préférés dorénavant.

Un petit rire m'échappa, qui salua ce compliment inattendu. Je me collais davantage à lui, heureuse qu'il me serre aussi fort. Je promenai mon index sur les contours des muscles de sa poitrine, qui se tendaient puis se relaxaient à mesure que je les effleurais. Je m'autorisai à profiter pleinement du sentiment de sécurité que j'éprouvais à son contact. Son arme était toujours posée près du lit, et je la contemplai tout en jouant distraitement avec l'un de ses tétons.

Nous profitâmes ainsi de plusieurs minutes d'un répit bienvenu. Je me serais endormie dans cette position si, malheureusement, il ne s'était pas écarté, trop tôt à mon goût. Privée de la chaleur de son corps, prenant tout à coup conscience que la porte n'était pas verrouillée, je m'empressai de m'enrouler dans la couette et observai Lucas s'habiller. Le seul spectacle de sa musculature ondulant sur son corps mince était superbe. Je n'avais pas connu tant de beaux hommes dans ma vie...

Jeremiah.

Le prénom surgit dans mon esprit. En une seconde, comme si j'étais soudainement dégrisée, les dernières traces de bien-être s'effacèrent. Frissonnante sous l'effet de la gêne, je baissai le regard sur les draps autour de moi.

– J'ai un cadeau pour vous, annonça Lucas.

Il me tendit un objet long et fin. Je m'en emparai avec précaution et le retournai entre mes mains. L'objet en métal était léger, et, à ma grande surprise, je m'aperçus qu'il dissimulait une lame.

– C'est un couteau à cran d'arrêt, expliqua Lucas. Facile à ouvrir et refermer avec un peu d'habitude.

Il me le reprit et, en quelques gestes du poignet, m'en montra le fonctionnement, faisant apparaître et disparaître la lame acérée. Puis il me rendit.

– Gardez-le et entraînez-vous, me conseilla-t-il. Il ne sera guère utile en cas de fusillade mais devrait vous donner un peu de répit en cas de corps-à-corps.

J'acquiesçai. Lucas renversa ma tête en arrière et plongea son beau regard bleu-vert lourd d'inquiétude dans le mien.

– Je reviens très vite, me promit-il. Il faut que je bosse un peu. Et surtout, que je veille à ce que nous repartions.

Apparemment réticent à me quitter, il se pencha et m'embrassa. Durant ce bref instant, mes doutes et mes peurs s'envolèrent, évincés par le désir et le sentiment de sécurité que dégageait cet homme. Mais je fus de nouveau assaillie de doutes dès qu'il se redressa et s'en alla sans ajouter un mot.

Contemplant le couteau, je m'adossai aux oreillers et songeai à mon existence. Trois jours plus tôt, j'avais avoué mon amour à un autre. Je ne l'avais jamais dit à personne d'autre qu'aux membres de ma famille, lesquels étaient tous morts à présent. Je n'avais pas imaginé que cet homme me repousserait de cette manière.

Aujourd'hui, j'étais prisonnière à bord d'un bateau de contrebandiers, enlevée par le frère de celui qui m'avait rejetée. Son aîné, dont l'odeur s'attardait encore sur ma peau.

Vous ne vouliez pas aimer, Jeremiah. Je jouai avec l'arme blanche. À ma grande satisfaction, un simple geste déploya la lame, sur laquelle se refléta la lumière ténue qui m'environnait. Tout aussi aisément, je repliai le couteau.

Je n'étais jamais tombée amoureuse avant de rencontrer Jeremiah. Son pouvoir de séduction m'avait réduite à néant, il m'avait transportée en des lieux jusqu'alors inconnus de mon cœur. Confrontée aux dangers et à la décadence de ma nouvelle vie, je m'étais éprise du milliardaire en croyant naïvement et sottement qu'il partageait mes sentiments. Quand, dans un moment de faiblesse, j'avais formulé ce que j'éprouvais et il s'était cabré comme un cheval sauvage. Et voici que, une poignée de jours après, je me retrouvai dans le lit d'un autre homme.

Si le sexe était synonyme d'aimer, que venait-il exactement de m'arriver?

4

Patienter n'a jamais été mon fort, mais il semblait que c'était tout ce que les Hamilton attendaient de moi. Je n'étais pour autant pas obligée de me conformer à leur bon vouloir.

Je m'habillai, jouai un peu avec le couteau de Lucas, consultai les livres sur l'étagère, contemplai le plafond et finis par me tourner les pouces. Les minutes se transformèrent en heures, et les gargouillements de mon estomac finirent par être impossibles à ignorer. Je n'avais rien avalé de la journée et je commençais à me demander si Lucas allait revenir avant que je sois morte d'inanition. Même quand les moteurs se remirent à vibrer sous mes pieds, personne ne vint frapper à la porte de ma cabine.

Bref, il devenait évident que j'étais livrée à moi-même.

Plantée devant la porte, je fixai la poignée. Dieu merci, ceux qui me voulaient du mal étaient à présent sous les verrous. Plus j'avais faim et moins le danger me paraissait important en regard des crampes qui me tordaient l'estomac. Un ultime gargouillis à l'idée d'un bon repas me donna enfin le courage d'ouvrir et de passer la tête dans le couloir.

Un costaud tituba devant moi, mais il m'ignora et grimpa prestement l'escalier qui menait au pont supérieur. La soute donnait l'impression d'être le lieu d'une activité fébrile. Si ma curiosité en fut éveillée, je décidai qu'elle devrait attendre que j'aie mangé un morceau. Même si c'était ridicule, je marchais sur la passerelle métallique sur la pointe des pieds, aussi doucement et rapidement que je le pouvais, et me faufilai dans la coquerie, deux pièces plus loin.

Je fus soulagée que l'endroit soit vide. Je fonçai droit sur le réfrigérateur et grimaçais bien vite quand je fis l'inventaire de ses maigres richesses : de la viande crue posée telle quelle sur des assiettes, sans aucune protection, et des Tupperwares non étiquetés contenant des restes douteux. Déçue, j'entrepris de fouiller le placard le plus proche. Tout était caché dans des boîtes, à l'exception d'un pain de mie. Je vérifiai qu'il n'était pas moisi et m'en contentai pour apaiser ma faim.

Ce n'était sans doute pas le repas le plus nourrissant qui soit, mais j'engloutis trois tranches d'affilée avant de me mettre en quête de quoi faire un sandwich. En fouillant sur les étagères, et, à défaut du beurre de cacahuète que j'espérais, je dénichais un tube d'une pâte appelée Marmite. Je l'ouvris, reniflai et me dépêchai de le remettre à sa place. C'est alors que j'aperçus un jeune homme qui m'observait depuis l'autre côté du comptoir de la cuisine. Je poussai un petit cri de surprise et lâchai le tube.

– Euh… salut! marmonnai-je, incertaine, avant de ramasser le tube qui était tombé par terre.

Le garçon me fixait avec nervosité, ce qui me rassura un peu. Il était beaucoup plus jeune que les autres hommes que j'avais croisés à bord, même à peu près de mon âge. J'optai pour un sourire hésitant.

– Je cherchai de quoi grignoter.

Comme il me dévisageait d'un air stupide, je me dis qu'il ne me comprenait peut-être pas.

– Hum…

À cet instant, un hurlement inintelligible retentit dans le couloir. La tête du jeune homme pivota vivement en direction de la porte avant de revenir sur moi. Je déchiffrai une sorte d'avidité désespérée dans ses yeux.

Merde! Je me précipitai vers la porte, mais il fut plus rapide que moi. M'empoignant par le bras, il me fit virevolter et m'expédia brutalement contre une table. Alors que des hommes entraient dans la pièce, il me plaqua dos contre lui et je perçus un reflet qui me glaça le sang : il tenait un couteau de boucher appuyé contre ma gorge.

Lucas fendit le groupe d'hommes et s'arrêta net en me voyant. Je le foudroyai du regard, mais il eut l'audace de me sourire.

– Décidément, commenta-t-il, vous avez la poisse.

– Je sais! Inutile d'insister.

J'étais exaspérée, mais la lame glissa dans mon cou et toute émotion autre que la frayeur disparut.

Quand je déglutis, je sentis la pointe acérée mordre ma peau.

– Lâche-la, Alexeï, ordonna Lucas d'une voix sourde.

L'interpellé cracha à la figure de Lucas et lâcha un chapelet de mots. Si je ne comprenais pas sa langue, je devinai sans problème qu'il s'agissait d'insultes.

– Kolya? lança Lucas sur un ton sec.

Un type, qui était le chauffeur me semblait-il, avança.

– Traduis, s'il te plaît, continua Lucas.

– Va te faire foutre.

Lucas jeta un coup d'œil au Russe tatoué et lâcha :

– À peu près ce que je pensais. Dis-lui d'avoir la gentillesse de libérer Mlle Delacourt.

Le costaud transmit le message. Hélas, Alexeï secoua la tête et repartit dans une tirade furibonde.

– Il refuse, traduisit Kolya.

– Pourquoi a-t-il saboté le bateau?

– Tout couler. Surtout toi!

Alexeï s'était cette fois exprimé directement en anglais, et ponctua d'un nouveau crachat destiné à Lucas.

– Ah, il parle! s'exclama ce dernier avec un sourire sinistre. Puis-je me permettre de te demander ce que je t'ai fait?

– Tuer ma famille! gronda Alexeï. Tes fusils. Eux massacrés.

Le sourire s'effaça aussitôt sur les lèvres de Lucas.

– Qui t'a raconté ça?

Je ne manquai pas de remarquer qu'il ne se donnait même pas la peine de nier l'accusation.

– Mettre bombe mais pas marcher, enchaîna le garçon sans répondre à la question. Vous au fond de la mer, je revoir ma famille.

Il brandit son couteau alentour en hurlant de nouveau en russe.

– Ça c'était pour nous, ça, intervint Kolya, réagissant à un coup d'œil de Lucas avant de reporter de nouveau son attention sur Alexeï. Parce que nous travaillons pour vous.

– Dix ans! s'égosilla Alexeï. Dix ans pour vengeance. Et maintenant, je échouer.

Lucas sursauta.

– Je n'étais pas là, il y a dix ans, se défendit-il avec gravité. Ce n'est pas moi qui ai vendu les armes qui ont tué ta famille.

Dans mon dos, je sentis le corps de jeune homme se mettre à trembler.

– Menteur! souffla-t-il.

La tension monta encore d'un cran. Tout à coup, quelque chose dans ma poche heurta ma cuisse. *Le cran d'arrêt!* Morte de frousse à l'idée d'être vue, je l'extirpai lentement des profondeurs de ma poche et l'ouvris le long de ma jambe. Avec un peu de chance, mon preneur d'otage ne s'en rendrait pas compte. Je serrai les doigts autour du manche lorsque Lucas leva un bras dans un geste apaisant. Je retins mon attaque, en priant pour qu'il sache ce qu'il faisait. Je respirais à peine, par crainte de m'entamer la cuisse toute seule.

– C'est celui qui t'a dit que j'étais dans le business il y a dix ans qui a menti, Alexeï, plaida le marchand d'armes. Révèle-moi son identité, s'il te plaît.

Le jeune homme semblait hésiter, tandis que ma main tremblait de plus en plus. Je sentis quelque chose couler le long de mon cou et compris que je saignais. Il suffirait d'un rien pour que mon sang coule bien plus abondamment.

– Tu tuer d'autres familles, finit par rétorquer le Russe en ayant l'air de reprendre courage à cette seule idée. Pourquoi moi pas tuer la tienne?

Ses mains raffermirent leur prise. Inutile de compter sur Lucas, songeai-je. Je venais d'entendre ma sentence de mort. *Tant pis pour toi, mon pote.*

M'écartant brutalement, je projetai ma lame vers arrière jusqu'à ce que perçoive la résistance écœurante de la chair. Le cri d'Alexeï déchira mes tympans tandis que nous roulions à terre. Le bras qui tenait le couteau pointé sur ma gorge se détendit suffisamment pour que je puisse le repousser, mais, dans la chute la pointe érafla ma peau.

Dans la mêlée, je perdis mon cran d'arrêt et je fus prise de panique. Rampant au sol, je constatai que le garçon n'avait pas lâché son arme. Il m'attrapa par la cheville et me tira de nouveau vers lui. Je glissai en me débattant et il brandit la lame au-dessus de moi. C'est alors que des coups de feu retentirent. Le Russe fut projeté en arrière et s'effondra contre le réfrigérateur.

Gémissant faiblement, je m'éloignai à quatre pattes de son corps et repoussai les mains secourables qui voulaient m'aider.

– Bordel de merde! hurlai-je en me mettant debout toute seule.

Sous l'emprise d'une décharge ininterrompue d'adrénaline, j'arpentai la coquerie de long en large, le cœur battant, le corps frémissant.

– Pourquoi ces trucs-là m'arrivent-ils tout le temps? protestai-je, incapable de tenir en place.

Kolya se pencha sur Alexeï, tâta son pouls. Je savais déjà qu'il était mort. Bouleversée, je m'arrachai les cheveux. Je n'avais plus qu'une envie : fuir, déguerpir de ce bateau. À cet instant, Lucas surgit devant moi et me bloqua la sortie.

– Restez tranquille! m'ordonna-t-il.

Quand je voulus le contourner, il m'immobilisa, m'agrippant par les épaules.

– Vous saignez, poursuivit-il. Laissez-moi voir ça.

Je le repoussai et il fronça les sourcils.

– Vous sentiriez-vous mieux si je vous giflais? s'enquit-il.

– Essayez seulement! dis-je en le fusillant du regard.

Sa menace eut pourtant l'effet escompté et je me calmai un peu. Il en profita pour appuyer un torchon sur ma blessure. Tandis que la douleur me faisait tressaillir, je priai pour que le tissu soit propre.

– Il y a une trousse de secours dans ma salle de bains, reprit Lucas. Kolya? Charge-toi du corps et trouve-moi comment Alexeï a réussi à introduire une bombe à bord.

Bien décidée à me débrouiller seule, je flanquai une tape sur ses mains tendues. Sauf que, tout à coup, le plancher se déroba sous mes pieds et que le monde bascula. Je me retrouvai dans ses bras, en train de m'égosiller comme une écorchée. J'eus beau hurler et ruer, il me porta jusqu'à la cabine et me jeta sur le lit avant de refermer la porte derrière nous. Puis il revint de la salle de bains avec une boîte rouge.

– Ne bougez pas, m'enjoignit-il. Je tiens à soigner ça.

Je me laissai faire en protestant, mais je ne pus m'empêcher de m'écarter en sifflant comme une tigresse quand il tamponna ma blessure avec de l'alcool.

– Qu'est-ce que ma vie était ennuyeuse avant que je vous rencontre, votre frère et vous! grognai-je.

Il m'ordonna de presser un coton contre ma gorge pendant qu'il farfouillait dans sa trousse de premiers soins.

– Vous croyez que c'est une sorte de vengeance divine pour avoir été l'adolescente la plus rasoir au monde? poursuivis-je.

– Peut-être.

Il s'esclaffa quand je le toisai d'un regard noir.

– Allez vous doucher, dit-il ensuite. Personnellement, je refuserais de toucher quoi que ce soit qui ait été en contact avec le sol de la coquerie sans être passé d'abord par un sas de décontamination.

Il n'avait pas tort. La cuisine était répugnante, et je doutais que son plancher vaille mieux. M'enfermant dans la salle de bains, je me déshabillai, fis couler l'eau et examinai mon cou dans le miroir. Lucas m'avait collé un pansement assez large pour que l'eau ne pénètre pas dans la plaie, mais ma peau restait sensible. Une fine marque rouge descendait jusqu'à l'un de mes seins, là où la lame avait ripé. Un frisson me secoua, tant parce que mon taux d'adrénaline retombait que parce que je commençais à prendre conscience d'avoir véritablement frôlé la mort. Sautant dans la douche, je me détendis durant plusieurs minutes sous le jet chaud.

Tout à coup, la porte couina et Lucas entra.

– Fichez le camp! aboyai-je.

Il se contenta de rire. Je l'entendis se déshabiller, puis il écarta le rideau et me rejoignit sous l'eau. Histoire de dissimuler ma nervosité, je lui tournai le dos et entrepris de me savonner.

– Vous me passerez le savon quand vous aurez fini.

Le ton sec de commandement provoqua des remous dans mon ventre. Obtempérant, je me rinçai rapidement en m'efforçant d'ignorer sa présence. Il ne tenta pas de me toucher, ce dont je fus soulagée. Malheureusement, je ne pouvais pas le fuir indéfiniment. Je pivotai sur les talons et pris soin de fermer les yeux tandis que je finissais de me rincer. Un sifflement appréciateur me parvint et, malgré la chaleur de la douche, mes tétons réagirent en durcissant.

– À moi, décréta-t-il.

J'ouvris les paupières et vis qu'il me tendait un gant de toilette.

Je fronçai les sourcils et protestai :

– Je ne suis pas votre esclave.

Néanmoins, je me saisis du gant avec empressement.

– Ça vous dirait de le devenir ?

Je levai les yeux au ciel en affectant la nonchalance. Non sans mal cependant. M'interdisant de regarder son bas-ventre, je me mis à frotter son cou et le haut de son torse. La crasse que je retirai me stupéfia.

– Vous êtes dégoûtant, commentai-je.

– Voilà ce qui arrive quand on bosse sur un moteur de bateau toute la journée.

Le gant était peu adapté à tant de crasse. Je dus le rincer deux fois et le savonner de nouveau pour parvenir à rendre propre la poitrine de Lucas. Ma tâche me permit de ne pas trop penser à la sensation de ses muscles sous mes mains ni au fait que j'étais nue en compagnie d'un bel homme bizarre. Cette douche commune était d'une intimité dont je n'étais pas certaine de pouvoir assumer les éventuelles complications à venir. Si je cessai de le nettoyer au-dessus de son bas-ventre, cela ne m'empêcha pas de deviner la hampe raidie qui pointait dans ma direction.

– Tournez-vous!

– Mais c'est que la petite esclave se permet de donner des ordres!

Il finit par obéir et je m'attaquai à ses épaules et à son dos en descendant peu à peu. Lorsque j'atteignis ses hanches, je dus me mordre la langue pour ne pas trahir combien je les appréciais. Je me retins de caresse sa chute de reins splendide et je me forçai à reculer.

– Bon, vous pouvez vous rincer.

Nous échangeâmes nos places en nous serrant dans la douche étroite. Nos peaux se frôlèrent, et mon cœur fit des soubresauts. Il se plaça sous le jet et, décontracté, m'offrit un spectacle auquel, ce coup-ci, je fus incapable de m'arracher. Même s'il n'était ni aussi grand ni aussi bien bâti que Jeremiah, il était magnifique à sa façon. Je mourrai d'envie de le caresser mais retirai ma main à la toute dernière seconde. J'avais la poitrine serrée et une douleur diffuse incendiait l'intérieur de mes cuisses.

Il se dégagea du jet, ouvrit les yeux et afficha un sourire narquois en découvrant que je le regardais.

– Vous ne vous lavez pas les cheveux? me demandat-il.

– Euh…

À court de mot, je cherchai des yeux une bouteille de shampooing avant de me figer, car Lucas venait d'avancer d'un pas dans ma direction. Il prit mes seins en coupe, et en titilla les tétons durcis. Un long frisson parcourut ma colonne vertébrale. Je ne savais pas trop à quoi m'attendre de la part de cet homme qui pouvait alternativement être un gentleman et une parfaite crapule. En tout cas, mon corps réagissait dès qu'il me touchait. Il me contempla d'un air malicieux.

– Une fois avec vous ne suffit pas, déclara-t-il en effleurant ma joue.

Un soupir lourd de désir m'échappa malgré moi, allumant aussitôt un éclat dans ses yeux. Mes mains se plaquèrent d'elles-mêmes sur son corps, soulignant les lignes de ses pectoraux. Il tira brutalement le rideau de la douche.

– Dehors! m'ordonna-t-il.

Il me suivit sur le tapis. Sans nous laisser le temps de nous sécher, il me souleva de terre et m'emporta sur le lit. Nous nous y vautrâmes, nos bouches avides se cherchant, nos paumes jouant sur nos peaux humides.

Si nos baisers n'eurent pas la passion de nos premiers ébats, ils n'en furent pas moins intenses. Je geignis sous l'effet de ses coups de langue et de dents sur mon cou. Alors qu'il se glissait entre mes cuisses, ses lèvres trouvèrent les miennes, agaçantes et prometteuses, et je soupirai de satisfaction.

Il plaqua encore mes poignets au-dessus de ma tête sauf que, cette fois, je sentis qu'il les emprisonnait vraiment. Interrompant notre baiser, je levai la tête et découvris un cordage, puis je vis son sourire insolent.

– J'ai comme l'impression que vous aimez ce genre de chose, murmura-t-il avec un clin d'œil.

Je ne savais même pas où il avait trouvé cette corde. Elle était probablement dans la cabine, mais je ne l'avais pas remarqué jusqu'à présent. La corde était épaisse, presque aussi large que mes poignets, mais elle me laissait suffisamment de mou pour avoir une certaine liberté de mouvement.

Lucas contempla d'un air satisfait son ouvrage.

– Maintenant, je vais pouvoir faire ce qu'il me plaît, dit-il.

Il se mit alors à sucer un de mes tétons. Dans un profond soupir, je me cambrai, exigeant encore plus de caresses. Il passa à l'autre sein puis descendit le long de mon ventre frémissant. Il fit passer mes genoux par-dessus ses épaules et me dévisagea intensément, tandis que je luttais pour conserver un tant soit peu de dignité. En vain.

– Je raffole de votre goût, chuchota-t-il.

Alors, il pencha la tête et, au contact de sa langue sur les lèvres de mon sexe, je projetai mes hanches en avant, tirai sur mes liens, me tordais sur le lit. Je tremblai de tous mes membres. Des doigts rejoignirent sa bouche sur mes chairs si sensibles, m'ouvrirent plus largement pour permettre à son visage de s'enfoncer en moi. Je poussai un long gémissement de plaisir.

– Ah, mais c'est qu'on est du genre à crier? Allez-y, rendons les gars jaloux!

Je serrai les lèvres et la mâchoire, tandis qu'il repartait de plus belle. Mon corps bondissait sous ses coups de langue. Des grognements et des cris continuaient de m'échapper, pas assez puissants cependant pour transpercer les cloisons. Lucas était un maître dans l'art de me faire vibrer. Il savait adroitement appuyer sur les zones les plus sensibles et les plus secrètes de mon corps jusqu'à ce que je ne sois plus qu'une poupée de chiffon pantelante sous ses caresses.

Puis il se redressa et me souleva par le bassin. Il m'inclina sur le flanc, passa l'une de mes jambes sur son épaule et s'enfonça en moi brutalement. Je poussai un cri que je m'efforçai de ravaler immédiatement. Alors qu'il allait et venait en moi, sans se presser, il toucha un endroit qui déclencha de violents frissons le long de mon dos. Cette position lui permettait de me donner un maximum de plaisir, et je sentis la jouissance monter en moi. Pourtant, Lucas n'allait pas jouir aussi tôt.

Il finit par se retirer, me fit pivoter de nouveau et me plaqua sur le ventre. Il empoigna ensuite mes fesses, les secoua un peu avant de leur assener une claque moqueuse parce que je venais de lui adresser un regard agacé par-dessus mon épaule.

– J'aime jouer avec votre cul, dit-il avec son sourire narquois. Presque autant que le pénétrer.

Son pouce glissa dans ma fente et l'écarta, tandis que je repliai les genoux pour mieux m'offrir. La tête dans l'oreiller, je me raidis un instant lorsqu'un doigt taquina mon trou le plus intime, mais il ne s'attarda pas, préférant caresser la petite zone de chair sensible entre les deux. Puis, lentement, il se plaça derrière moi et gémit tandis que la pointe épaisse de son sexe se frayait un passage en moi. Mon abdomen se contracta sous l'effet de l'anticipation. Il tira sur mes hanches jusqu'à ce qu'il soit fermement planté entre mes fesses. Il posa son front sur mes omoplates et se retira pour mieux me pénétrer, avec plus de force, une deuxième fois.

Je m'agrippai au cordage emprisonnant mes poignets aux barres du lit, car les coups de boutoir de Lucas étaient de plus en plus violents et rapides. Étouffant mes gémissements dans l'oreiller, je tendais les fesses avec avidité, toutes mes terminaisons nerveuses saturées par le plaisir que me procuraient ces va-et-vient. Je sentis d'abord ses dents griffer la base de ma nuque et soudain, elles me mordirent, mais la souffrance ne fit qu'ajouter à ma jouissance.

– Comme vous êtes sexy! me souffla Lucas.

Le compliment m'enchanta, et je serrai d'autant plus l'anus autour de sa queue tout en me collant à son bassin. Il jura et, souriante, je recommençai à me contracter. À son tour, il plongea en moi avec une vigueur renouvelée, et je gémis encore dans l'oreiller. J'étais à deux doigts de l'orgasme.

Mais juste à ce moment-là, il se retira, me mit sur le dos et s'enfonça dans mon vagin très vite, son visage tout près du mien. Il couvrit mes cris avec sa bouche, avalant les sons que j'émettais. Les jambes crochetées autour de ses hanches, je l'emprisonnai fermement contre moi. La jouissance surgit en moi au point de me faire sangloter, menaçant de me submerger. Je tirai comme une folle sur mes liens tant j'avais envie de le toucher, de le tenir contre moi.

– Je veux vous voir jouir, haleta-t-il.

Ses yeux splendides étaient devenus d'un bleu plus soutenu que d'ordinaire, assombri par le désir. Sa cicatrice pâle ressortait, unique irrégularité sur son visage parfait. Tout à coup, le monde disparut dans un tourbillon qui m'emporta tout entière. Mes muscles se bandèrent tandis que j'explosais. Même les lèvres de Lucas ne purent contenir mes cris.

Il continua à me pilonner de son membre, le souffle court, chaque attaque prolongeant les vagues de jouissance qui m'engloutissaient. Je fermai les yeux, au-delà de l'épuisement, et Lucas jouit enfin au plus profond de moi avant de se laisser tomber sur moi. Nous avions tous les deux du mal à reprendre haleine.

– Je ne me doutais pas que ça pouvait être encore mieux que tout à l'heure, murmura Lucas.

Je ne répondis pas, trop confuse pour m'exprimer. Mon cœur battait la chamade. Au bout d'un moment, il se retira mais resta allongé sur moi. Son corps brûlant et pesant qui me clouait au matelas était réconfortant. Quand il dénoua mes liens, mes bras retombèrent mollement sur l'oreiller. Nous restâmes ainsi de longues minutes, repus et profitant l'un de l'autre.

– Pourquoi la majorité de vos hommes sont-ils russes ? finis-je par demander.

Cette question déplacée provoqua un petit rire. Repliant les bras sur mes seins, il posa son menton sur son poignet et me dévisagea avec amusement.

– Mes premiers associés venaient pour la plupart des pays de l'ancien bloc de l'Est. Et puis, j'avais Anya à mon côté pour traduire.

Ses yeux se voilèrent à l'évocation de la jeune femme.

– Vous l'aimiez ? demandai-je, bien que consciente que la conversation prenait un tour gênant.

Il ouvrit la bouche pour répondre, s'interrompit, et, finalement, reprit :

– Au début peut-être, admit-il, apparemment guère embarrassé. Quand je l'ai connue, elle était très jeune et naïve. Moi, j'étais en colère et égoïste. La voler à mon frère était un acte de vengeance parce qu'il m'avait dérobé mon avenir.

Il se tut, soupira, me regarda sans vraiment me voir.

– Mais les temps changent, poursuivit-il. Les gens aussi. Je n'ai pas assez protégé Anya et, maintenant, elle est morte.

Ses yeux furent soudain plus attentifs.

– Et Jeremiah? lança-t-il. L'aimez-vous?

– Je…

Mon cœur se serra douloureusement. En cet instant, mon opinion sur son cadet était différente, notamment à cause de l'homme qui était allongé sur moi.

– Je l'ai cru. Il m'a sauvé la vie.

– Moi aussi. À deux reprises.

À ce souvenir, je grimaçai en passant la main sur mon pansement.

– En effet, marmonnai-je en détournant la tête.

La gorge nouée, je retins mes larmes.

– Quand je lui ai avoué mes sentiments, continuai-je, c'était la première fois que je le faisais depuis la mort de mes parents. Il s'est borné à m'accuser de débiter des platitudes.

– Mon frère est un idiot, décréta Lucas avec une décontraction laissant entendre que ce jugement lui était aussi familier que respirer. L'amour est capricieux et cruel, ajouta-t-il avec un nouveau soupir. Très déroutant aussi.

– C'est vrai.

Nous observâmes un silence complice pendant un moment.

– Je devrais terminer ma douche, annonçai-je en effleurant une boucle de cheveux humides et emmêlés.

– Je vous trouve parfaite comme ça.

Je lui assenai une tape sur l'épaule, ce qui le fit rire.

– D'ailleurs, reprit-il, j'ai encore envie de vous.

Sa voix rauque m'incendia. Il caressa ma cuisse et il rit lorsque je me rendis compte avec stupéfaction qu'il rebandait déjà. J'ébouriffai ses cheveux et il m'embrassa avec douceur. Je fermai les yeux tandis que ses lèvres repartaient à l'assaut de mon corps.

Nous refîmes l'amour deux fois avant de nous endormir blottis l'un contre l'autre. Le temps ne comptait guère, dans la cabine dépourvue de hublot. Ni le soleil ni personne ne nous dérangea.

Faire l'amour. Quand Lucas me touchait, ses doigts laissaient comme des cicatrices au fer rouge sur ma peau. Je m'efforçais de ne pas trop penser à ce que ces mots signifiaient désormais pour moi.

Ce furent des coups violents sur la porte qui nous réveillèrent en sursaut.

– Lucas? On a besoin de vous! Le capitaine assure avoir repéré un navire à l'approche. Des pirates, peut-être.

C'était Frank. Si je restai confuse, Lucas lui bondit sur ses pieds, alluma une lampe et se dépêcha de s'habiller.

– Des pirates? murmurai-je.

J'avais du mal à me figurer l'image du pirate à la jambe de bois dans notre époque moderne.

– Nous ne sommes plus loin des Caraïbes, dit Lucas en bouclant sa ceinture. Des bandes de hors-la-loi continuent d'écumer ces eaux. Mais je ne pensais pas que nous en rencontrerions aussi haut dans le nord. Je vous conseille de vous habiller.

Il referma la porte derrière lui. Après avoir pris soin de tirer le verrou, je me préparai à mon tour, attentive au moindre bruit. Il y eut des bruits de pas de l'autre côté de la porte mais rien de plus suspect. Je cherchai des yeux mon cran d'arrêt, puis me rappelai que je l'avais laissé planté dans la cuisse d'Alexeï. Il n'y avait pas d'autre arme dans la chambre que le cadre de la photo des frères Hamilton. Je m'en emparai, regrettant de ne pas disposer de mieux pour me défendre.

Soudain, le son de coups de feu étouffés parvint des entrailles du navire. Je me figeai, serrant si fort le cadre que les bords laissèrent des marques sur mes paumes. Je perçus de nouveaux bruits de pas sur la coursive, furtifs cette fois.

Pitié, pas ici. N'entrez pas ici, s'il vous plaît...

On tourna la poignée puis un craquement résonna alors qu'on tentait d'enfoncer la porte. Je poussai un cri terrifié et j'allai me réfugier dans la salle d'eau à l'instant où elle cédait. Une silhouette brandissant un fusil d'assaut s'encadra sur le seuil. Je m'arrêtai sur place. L'intrus baissa pourtant son arme et tendit la main vers moi. Je le repoussai en criant et filai droit vers le lit, mais un bras s'enroula autour de ma taille et me souleva de terre. J'abattis la photo sur l'homme et m'apprêtai à hurler encore quand une paume se plaqua sur ma bouche.

– Lucy, dit une voix familière, coupant court à ma résistance tant j'étais stupéfaite de l'entendre. Je suis venu vous libérer.

Je lâchai le cadre qui tomba sur le sol. La main s'écarta de ma bouche.

– Jeremiah? chuchotai-je en essayant de regarder derrière moi.

Il me reposa sur mes pieds, et je le contemplai. Du noir salissait ses bras et son visage, mais les prunelles vertes que je connaissais si bien luisaient d'un éclat flamboyant. J'effleurai sa joue avant de porter mes doigts à mes lèvres, n'en croyant pas mes yeux.

À cet instant, le cliquetis d'un chien qu'on armait résonna sur le seuil de la cabine. Jeremiah releva brutalement la tête puis se pétrifia.

– Salut, petit frère! murmura une voix.

Jeremiah se tourna d'un coup et se mit devant moi. Lucas arqua un sourcil et me jeta un coup d'œil.

– Ma foi, lâcha-t-il, quelle drôle de situation!

bonus

Le visage que Jeremiah Hamilton montre au monde n'est pas représentatif de sa véritable personnalité. Il croit être maître à bord, il estime contrôler sa vie. Mais que se passe-t-il lorsqu'on lui retire ce qu'il a de plus précieux sur terre, la seule personne ayant le pouvoir de réduire à néant tout son univers ? Ce bonus relate les événements ayant suivi la dernière rencontre entre Lucy et Jeremiah. Ce dernier commence à comprendre que nul homme n'est une île, et que tous les remparts sont susceptibles d'être renversés par celui qui possède le don pour le faire.

– Je vous aime.

Trois petits mots de rien du tout, mais ils avaient eu le pouvoir d'arrêter la course du monde.

– Non !

Il n'avait pas eu l'intention de crier cela aussi brutalement. Il sentit Lucy se raidir contre lui et observa son visage tandis qu'elle s'efforçait de dire quelque chose. Allongé sous elle, il gardait le silence tout en réfléchissant à un moyen de sauver la situation. Il n'en trouva pas.

Comment en étaient-ils arrivés là ?

Refermant ses mains autour de la taille de Lucy, il la souleva, aussi légèrement que si c'était une plume, afin de pouvoir s'asseoir. Un vacarme, plus qu'une pensée précise, se déchaîna soudain dans son esprit. Prêt à bondir, il sentait que tous ses muscles étaient tendus. Pourtant, il ne parvenait pas à bouger, c'était comme s'il était collé à ce lit.

– Pourquoi ?

Jeremiah ferma les yeux. La voix brisée dans son dos lui rappela qu'il n'était pas seul. Comment aurait-il pu l'oublier, de toute façon ? Un instant, le contact de leurs peaux se maintint, puis Lucy s'écarta et ramena les draps sur elle. Cette séparation lui fit l'effet d'une lance qu'on aurait plantée dans son ventre. Il se mit à trembler.

Incapable de répondre à la question, il se leva, rassembla ses vêtements et les enfila à la va-vite. Boutonner sa chemise exigea deux fois plus de temps que d'ordinaire tant ses doigts tremblaient. Il mit son pantalon, laissa de côté ses chaussettes et se borna à ramasser ses chaussures.

Il ne daigna regarder la femme dans le lit qu'après avoir bouclé son ceinturon. À ce moment-là, il avait réussi à retrouver sa contenance. À grand-peine, cependant.

La détresse qui se lisait sur les traits de Lucy menaça d'abattre ses défenses. Le tumulte intérieur dans son cerveau augmenta crescendo jusqu'à devenir des hurlements intolérables, mais il ne s'autorisa pas à briser son masque de pierre. Son instinct lui criait de se sauver, qu'il n'était pas en mesure de gagner cette bataille-là. La logique voulait néanmoins qu'il dise quelque chose. Pétrifié par le sens du devoir, il ne pouvait pas plus fuir maintenant que dans toute autre affaire professionnelle.

Sauf que là, il ne s'agissait pas de boulot.

Si. Dans la mesure où qualifier autrement la situation reviendrait à admettre qu'il éprouvait des sentiments qu'il refusait d'analyser.

– Je ne pense pas que…

Il s'interrompit. Les mots, en l'occurrence, étaient difficiles, certains encore plus que d'autres.

– Je préférerais que nous évitions de parler d'amour à propos de notre liaison. Pour l'instant, en tout cas.

– Pourquoi?

La question avait été formulée comme une exigence. Jeremiah avait conscience qu'elle méritait une réponse.

– Soyons raisonnables, dit-il.

Oui, la raison était la solution. Il songea qu'il en était capable, même dans un moment pareil.

– Vous me connaissez depuis deux semaines à peu près. Est-ce suffisant pour construire un lien amoureux?

Il la contempla en train de réfléchir à ses mots, de chercher une objection.

– Je n'exige pas la réciproque, plaida-t-elle.

Hochant la tête, il s'assit sur le lit.

– Peut-être pas, concéda-t-il, avant de s'emparer du menton de la jeune femme. Mais pourquoi gâcher avec de telles platitudes ce que nous partageons?

Le visage de Lucy se tordit et Jeremiah cessa presque de respirer. Sa peau était douce, mais il sentit en elle une froideur nouvelle. Le besoin de partir, de gagner un endroit calme où il serait en mesure de réfléchir le submergea comme un raz-de-marée. Il avait l'impression d'être un animal pris au piège du regard mortel d'un prédateur, incapable de songer à autre chose qu'à fuir. Aussi, quand elle tendit la main, il se leva et s'éloigna. Le contact lui eût été insupportable.

– Maintenant que vous avez été lavée de tout soupçon, poursuivit-il, vous êtes libre de quitter la propriété quand bon vous semble.

Ses paroles avaient l'air lointaines, à croire que ce n'était pas lui qui les formulait. Il continua pourtant :

– La police étant sur place, j'estime que nous ne risquons rien pour le moment. L'un de mes gardes vous conduira où vous le souhaiterez et vous servira d'escorte. Je vous demande juste de nous tenir au courant de vos déplacements.

Il quitta la chambre, descendit l'escalier comme un somnambule et fonça sur la porte d'entrée. Ce ne fut qu'une fois dehors qu'il s'autorisa à respirer de nouveau. Pour autant, sa tension nerveuse ne le déserta pas. D'un geste, il renvoya l'homme qui s'approchait.

– Je conduirai moi-même aujourd'hui, Jared.

– Entendu, monsieur.

En quelques grandes enjambées, il se rendit au garage qui jouxtait la maison et composa le code qui en ouvrait le volet. Impatiemment, il se glissa à l'intérieur avant même que le volet soit entièrement remonté. Au fur et à mesure, le vaste endroit s'emplissait de lumière. Les voitures étaient garées sur plusieurs rangées. Pour la plupart, elles appartenaient à la famille depuis des décennies et ne correspondaient pas à ce qu'il cherchait : un véhicule pour conduire, et conduire vite, pas pour transporter des passagers. L'Audi blanche serait parfaite.

Il démarra dans une gerbe de graviers. Les gardes postés au niveau du portail de la propriété eurent juste le temps de l'entrouvrir pour laisser passer le bolide. Jeremiah s'en fichait. La tête emplie du tumulte de ses pensées, il ne pensait qu'à fuir.

Je vous aime. Les mots résonnèrent dans son esprit avec des intonations quasiment sinistres. Jeremiah conduisait sans but, se moquant de savoir où menaient les routes désertes qu'il empruntait. Il profitait seulement de la liberté momentanée à laquelle il aspirait. Hélas, il s'aperçut vite que prendre de la distance n'aidait en rien. Et même, plus il s'éloignait, plus la tension crispait son corps. L'envie de faire demi-tour, de regagner la chambre et d'implorer pardon s'accrut pour devenir presque aussi violente que son besoin de fuir.

Mais cette option était inacceptable.

Il frappa le volant une première fois, puis une seconde. Pourquoi n'avait-il pas inséré une clause dans ce fichu contrat ? S'il fallait accuser quelqu'un de ce qui venait d'arriver, c'était lui. La fille était intelligente ; elle avait lu l'accord devant lui, avait compris ce à quoi elle s'engageait. Si une clause avait interdit certains mots, elle s'y serait tenue. Pourquoi diable n'y avait-il pas songé alors ?

Parce qu'il ne m'a pas traversé l'esprit que ce serait nécessaire.

Certes… mais nécessaire pour qui ? Avait-il cru que Lucy ne s'éprendrait pas de lui ? Ou que lui n'en tomberait pas amoureux ?

Il était complètement perdu.

Il s'engouffra sur l'autoroute, doublant les autres véhicules sans franchement aucune attention pour le code de la route. Il savait qu'il conduisait comme un fou. Malgré cela, il n'arrivait pas à ralentir. Pendant près de dix ans, depuis qu'il avait pris les rênes de Hamilton Industries, il avait été contraint de réfléchir à chacun de ses actes, conscient que tous les témoins de son comportement le critiqueraient. Bons ou mauvais, ses choix étaient jugés, ils jouaient pour ou contre lui. C'était comme cela depuis son enfance, durant sa carrière militaire, et c'était encore pire depuis qu'il menait une vie publique. Il s'était fait le serment de prévoir les choses, de prédire l'impact de ses décisions.

Alors, comment avait-il pu négliger les conséquences éventuelles du contrat qu'il avait passé avec Lucy?

Dans sa poche, son portable vibra. Il l'ignora. Il inspira profondément avant de s'obliger à ralentir à la vitesse autorisée puis de quitter l'autoroute. Il roula jusqu'à la côte, bifurqua à droite afin de rentrer chez lui. Le ciel couvert au-dessus de l'océan correspondait parfaitement à son humeur. Le trajet de retour, par les petites routes, lui prit plus longtemps qu'à l'aller.

Malgré l'ennui qu'il avait éprouvé sur le chemin, il devina à l'instant où il parvint au portail en fer que quelque chose clochait. Les gardes, rassemblés près de l'entrée, se précipitèrent à sa rencontre dès qu'il se gara. Jeremiah baissa la vitre.

– Nous avons un problème, monsieur, annonça l'un d'eux.

Jeremiah ne se souvenait pas d'avoir jamais dû recourir à des sels pour réanimer un homme, mais le composé à base d'ammoniaque eut l'effet voulu sur le chauffeur inconscient. Jared revint à lui en sursautant, visiblement désorienté par tous les visages penchés sur lui. Il tenta de se redresser, mais son patron le repoussa sur le canapé.

– Du calme, ordonna-t-il.

Le jeune homme obtempéra. La plupart des employés de Jeremiah étaient d'anciens soldats habitués à obéir.

– Racontez-moi ce qui s'est passé.

Jared s'humecta les lèvres et plissa le front.

– Je n'en ai aucune idée, monsieur. Je me rappelle vous avoir laissé pour regagner mes quartiers, et puis tout est devenu flou.

Il se frotta les poignets.

– On m'a ligoté? demanda-t-il.

Jeremiah acquiesça.

– Avez-vous le souvenir d'avoir croisé Mlle Delacourt?

Les nerfs à vif, il avait mis tout son être dans cette question. Pourtant, il était parvenu à garder une voix posée et à ne pas céder à la fureur. Avec difficulté. Beaucoup de difficultés.

– Non, monsieur, finit par dire Jared en secouant la tête. Je n'ai pas vu la demoiselle aujourd'hui. Pourquoi? Il se passe quelque chose?

– Elle a disparu.

Le seul fait de prononcer ces mots ranima le vacarme assourdissant dans le cerveau de Jeremiah, à la différence que, cette fois, un hurlement strident remplaçait le rugissement continu. Réfléchir en ces circonstances était presque impossible. Dieu merci, ses hommes étaient bien entraînés et connaissaient leur métier.

– Nous avons localisé la voiture, monsieur.

Jeremiah se tourna vers la voix.

– Vers où se dirige-t-elle?

– D'après le mouchard, elle a cessé de bouger.

Le cadet des Hamilton poussa un juron.

– Envoyez-moi ses coordonnées.

Sur cet ordre, il sortit de la maison. Un SUV noir se rangeait devant le seuil à l'instant où il y apparut. Sans attendre que le véhicule soit arrêté, il ouvrit la portière et bondit dedans. La voiture démarra sur les chapeaux de roues, escortée de près par deux autres identiques. Lorsqu'elles quittèrent la propriété, Jeremiah entra les coordonnées qu'on lui avait transmises sur le GPS de bord.

La circulation vers New York était extrêmement ralentie. À deux reprises, Jeremiah faillit ordonner au chauffeur de lui laisser sa place. Mais il parvint à s'abstenir et fut réduit à fixer le point immobile sur l'écran en priant pour ne pas arriver trop tard.

Lorsqu'ils arrivèrent dans l'allée, il fut le premier à sauter du véhicule. Mais il constata tout de suite que la limousine était vide. La portière arrière béait, la poignée en était luxée. Aux yeux de l'ancien Marine, c'était le signe évident qu'il y avait eu lutte. D'ailleurs, le sac de Lucy gisait sur la banquette. Rien n'indiquait l'identité de ceux qui l'avaient enlevée, pas plus que l'endroit où ils avaient pu filer ensuite.

– Je veux tout savoir sur ce véhicule! Qui l'a conduit la semaine dernière, d'où viennent les miettes de nourriture sur la moquette, quels sont les passagers qui l'ont louée. Trouvez-moi quelque chose susceptible de me renseigner sur son ou ses ravisseurs.

Lucy. Il ne pouvait même pas prononcer son prénom sans risquer de s'étrangler sous l'effet d'un trop-plein d'émotion. Il n'avait qu'une envie : réduire cette voiture en pièces, l'obliger à lui livrer ses secrets – ce qui n'apporterait toutefois rien de bon. Une rage impuissante l'envahit. Il ne pouvait agir tant qu'il n'en aurait pas appris un peu plus. Ses hommes étaient doués – il ne recrutait que les meilleurs dans leur domaine – mais ils avaient besoin de temps. Or même une minute écoulée était une minute de trop pour lui.

Le souvenir de ses décisions lui tomba dessus d'un seul coup. Il avait abandonné Lucy seule dans la chambre et avait ignoré les appels sur son portable. Il avait eu l'arrogance d'estimer que le danger était passé. Il avait été un lâche qui avait fui devant trois petits mots. Et voici ce à quoi sa bêtise avait mené !

Lucy. Il humait encore son parfum sur sa propre peau. Elle lui avait donné sa confiance, elle avait avoué ce qu'elle ressentait pour lui et il l'avait livrée aux loups. *Oh mon Dieu...*

Il ne pouvait plus respirer. Tandis que ses hommes s'occupaient de la limousine, il se réfugia de l'autre côté du SUV pour reprendre ses esprits. Il se força à inspirer profondément et, accroché à la poignée de la portière, appuya son front contre la vitre. Il respira, les jointures blanchies, la tension dans son ventre si forte qu'elle était tout juste tolérable. Il revit le visage de la jeune femme, ses grands yeux bleus qui irradiaient la confiance qu'elle avait en lui. Il ne s'était jamais aperçu combien elle lui était nécessaire.

Fini. Tout était fini.

– Monsieur?

Jeremiah ignorait depuis combien de temps l'homme s'était tenu près de lui à l'observer. Il se ressaisit très vite. Il n'était pas du genre à afficher ses faiblesses et, grâce à la seule force de l'habitude, il arriva à se murer derrière une apparence de pierre. Si la façade s'était fissurée, elle ne s'était pas effondrée. Il ne craquerait pas. Pas maintenant, alors qu'il avait besoin de se concentrer.

Ouvrant la portière du SUV, il s'empara d'un sac avant de repartir vers la limousine.

– Voyons un peu ce que nous trouvons.

L'après-midi devint le soir, le soir devint la nuit. Toujours pas de nouvelles. Ni appels, ni demandes, rien qui soit en mesure de leur donner la plus infime indication sur l'endroit où Lucy était retenue. La voiture avait été fouillée de fond en comble, la moindre surface en avait été analysée, mais cela n'avait rien donné. Celui qui avait enlevé Lucy savait comment effacer ses traces : poignées, volant, vitres, tout avait été consciencieusement essuyé avec un chiffon.

Ce qui n'incitait pas à l'espoir.

Jeremiah ne put s'endormir. Chaque fois qu'il fermait les yeux, il s'imaginait tous les scénarios susceptibles de se produire en cet instant. Son cerveau ne lui épargnait aucun détail de ce que ses ravisseurs pouvaient infliger à Lucy. À minuit, malgré sa sérénité apparente, il était bouleversé et devait lutter à tout instant pour ne pas céder au désespoir. Ce ne fut qu'aux premières lueurs de l'aube qu'une première piste se dessina.

– Monsieur, Collins a réussi à repérer une empreinte partielle sous le bar de la limousine.

Jeremiah arracha la feuille des mains de l'homme qui continua son rapport.

– Nous avons pu la croiser avec diverses bases de données et sommes parvenus à trois possibilités. Deux d'entre elles sont à écarter. L'un est un fonctionnaire travaillant à Seattle, l'autre un criminel purgeant sa peine à la prison de Folsom. Le troisième, en revanche, est un Ukrainien appelé Kolya Stepanovitch. Il a des liens avec la mafia russe et des trafiquants d'armes…

– Loki!

Le grondement émis par Jeremiah interrompit net son employé. Le milliardaire froissa le papier. Pourquoi n'avait-il pas suivi cette piste? Pourquoi ne l'avait-il même pas envisagée? Au fond, il ne fut pas très surpris que son frère soit impliqué dans cette histoire. *Enfin, j'ai une cible.*

– Trouvez-moi tout ce que nous avons sur le marchand d'armes répondant au nom de Loki, notamment les cachettes dont il dispose à New York. Appartements, entrepôts, bateaux… J'exige une liste de tous les endroits où il est susceptible de se terrer. Cherchez également des informations sur son réseau. S'il a déjà filé, il nous faudra des renseignements supplémentaires pour le traquer.

L'homme se dépêcha de regagner son ordinateur. Jeremiah fixa une tache sur le mur du fond de la pièce. Du plâtre, blanc sur la teinte du mur plus sombre, dissimulait à présent le trou qu'avait creusé la balle. Ils n'avaient pas encore achevé les réparations suite à l'attaque du tueur à gages. Dans la profondeur du placo, une balle s'était logée dans la structure en bois de la demeure, preuve irréfutable des événements qui s'y étaient déroulés quelques jours plus tôt. Loki lui avait peut-être glissé entre les doigts, mais Jeremiah se promit que ça ne se reproduirait pas. Si jamais Lucy était blessée… Jeremiah serra le poing autour de la boule de papier.

Lucas avait beau être son frère, les liens du sang ne le sauveraient pas, cette fois.

tout ce qu'il voudra

déjà disponibles

épisode 1

épisode 2
tous les coups sont permis

épisode 3
en amour comme à la guerre

épisode 4
dommages collatéraux

épisode 5
trahison

épisode 6
naufragée, 1re partie

épisode 7
naufragée, 2e partie

tout ce qu'il voudra
l'intégrale
Ce volume reprend les épisodes 1 à 5

à paraître en janvier 2014

épisode 8
naufragée, 3e partie

épisode 9
naufragée, 4e partie

Imprimé en Allemagne par GGP Media GmbH en septembre 2013
ISBN : 978-2-501-09048-3
4137683/01
dépôt légal : octobre 2013

MARABOUT
s'engage pour l'environnement
en réduisant l'empreinte carbone
de ses livres.
Celle de cet exemplaire est de :
250 g éq. CO_2
Rendez-vous sur
www.marabout-durable.fr

PAPIER À BASE DE
FIBRES RECYCLÉES